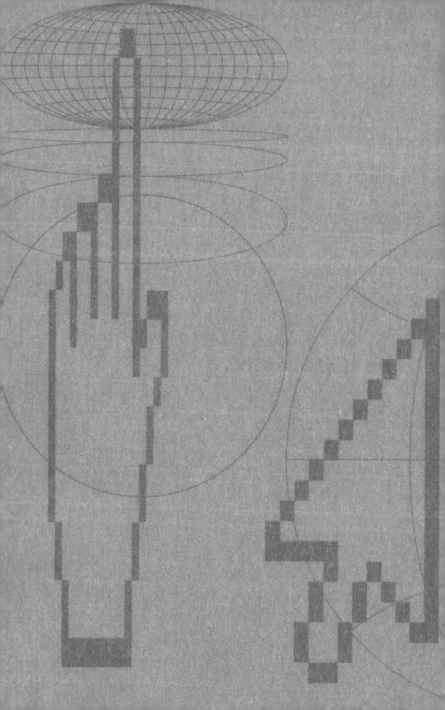

「インターネットの敵」
とは誰か？

サイバー犯罪の40年史と
倫理なきウェブの未来

IF
IT'S SMART,
IT'S
VULNERABLE

MIKKO
HYPPONEN

ミッコ・ヒッポネン［著］

安藤貴子［訳］

「スマートならば脆弱である」——— ヒッポネンの法則

　インターネットは、私たちが手に入れた中で最高かつ最悪のものだ。

　デジタル革命は日常生活のあらゆるところで見てとれ、大いなるメリットと同時に身も凍るような新たなリスクをももたらす――以前であれば、およそ生じることのなかったリスクを。しかもこの革命は、まだ始まったばかりだ。

　私は30年以上、同じ会社に勤めている。入社当時の社名はデータ・フェローズで、のちにエフセキュアと名を変え、2022年にエフセキュアとウィズセキュアの二社に分社した。私は現在、ウィズセキュアの主席研究員とエフセキュアのプリンシパル・リサーチ・アドバイザーを兼任している。エフセキュアは世界中の企業にセキュリティソフトウェアとソリューションを提供しており、私はそこで長年、サイバー犯罪者の追跡に取り組んでいる。この30年あまり目を見張る勢いで進化を続けてきたテクノロジーとインターネット革命を、その内側から経験できたのはまたとない幸運だった。

　想像を絶するほどの金持ちになったわけではないが、仕事を通じて私は社会のデジタル化の直接的な影響を特等席で眺める機会に恵まれた。そのなかで、おいそれと出入りすることができないような場所に足を踏み入れもしたし、サイバー犯罪者と直接顔を合わせたりもした。米国のペンタゴンなど、さまざまな国の国防本部や諜報機関の中枢を訪れたこともある。マイクロソフトやグーグル、アップルの会議に出席したこともあれば、いくつかの世界的大企業の経営陣にプライベートなブリーフィングを行ったこともある。インターネットが絡む刑事事件でいくつもの警察当局に協力し、インターポールやユーロポールのオフィスにも長いこと通った。正確には思い出せないく

らい、幾度となく旅をしてきた。年に140回も飛行機に乗っていたら、旅の興奮などしだいに感じなくなるというものだ。

いろいろな場所に足を運び、いろいろな人に会ううちに、私たちはこれまでに生きたどんな人より運がいいのだと実感するようになった。私たちはこの大規模なテクノロジー革命が、これまでに起きたどんな変化よりも速いスピードで世界を変える時代に生きている。そしてその流れを、私はサイバーセキュリティー・ラボからつぶさに見守っている。そしてオンライン攻撃の数々を分析し、マルウェアのサンプルをリバースエンジニアリングするうち、インターネットの裏の顔がしだいに明らかになってきたのだ。

未来の歴史学者は私たちを、そして私たちが生きるこの時代をどのように考えるだろう？　未来の歴史書に、私たちはどのように書かれるのだろうか？　私たちはインターネットを初めて使った人類として後世に記憶されるだろう。そう、私たちはオンラインと現実世界の両方を生きた最初の世代なのだ。

インターネットが開発される10万年以上前から、人類は地球上をさまよい歩いている。いまや、そしておそらく永遠に、インターネットは私たちの未来の一部だろう。あなたも私も、たまたまそんな時代に居合わせているにすぎない。だから、ときにオンラインの世界を異質だ、奇妙だ、難しいと感じたとしても、大丈夫だ。そもそも、インターネットなどちょっと前にはなかったものなのだから。

世界をつなぐネットワークがあれば、いとも簡単に情報が手に入る。1990年代には、いまのように容易にものごとをチェックしたり確認したりすることはできなかった。思えば不便だったものだ。たとえばバーで、1984年のロス・アンジェルス・オリンピックの男子マラソンで誰が金メダルを取ったか話している

6

としよう。当時は答えを知るのは楽ではなかった。翌日図書館に行って調べたら、わかったかもしれない（正解ははポルトガルのカルロス・ロペス）。それがいまでは、iPhoneを使えばものの数秒で誰でも正しい答えにたどり着ける。本書のテーマは、そんなインターネットと私たちである。インターネットはもの珍しいテクノロジーから日常生活の一部になった。いずれ、私たちはその存在を気にも留めなくなるだろう。インターネットはあってあたりまえ、いつでもどこでも手に入って当然のものになる。かつての電力供給網と同じように。

　本書ではまた、インターネットの未来を脅かすもの──オンライン組織犯罪集団、政府による監視や検閲、インターネットの支配権を巡る争い──についても考えている。さらに、警察などの法執行機関と諜報機関がインターネット上でどんな作戦を展開しているか、通貨がいかにデータになり、そしてデータがいかに通貨に等しいものになっているか、誰もがスーパーコンピュータをポケットに入れて歩くようになった時代に、私たちはどのような存在になっているのか／なっていくのかについても語っていこうと思う。

ミッコ・ヒッポネン

フィンランド、ヘルシンキにて

2022年2月

凡例

本書内のカッコ書きや注記は、以下の区分にて設けています。
( )：原書内に記された内容説明や著者の見解
[ ]：訳者あるいは編集部にて設けた用語説明などの訳注
(*1)：内容に対する編集部の見解や参考リンクを示した脚注

CONTENTS

　仕事において、私は自分が思っていた以上の成果をあげて
きた。とはいえ、それに浮かれることなく地に足をつけるべき
だと改めて肝に銘じるとともに、セキュリティの専門家として、
どんなエキスパートのキャリアも失敗によって形成されていくの
であるという話を最初にしておこう。

　私は1991年に当時まだ小さな会社だったデータ・フェローズ
で初めて正規雇用の職に就き、そのうち重要な顧客プロジェ
クトを任された。私は当時21歳で、顧客は故郷のフィンランド、
ヘルシンキの陶磁器工場だった。私が取り組んだのは、従業
員に各種陶磁器製品の製造指示を出すソフトウェアの開発だ。
ウィンドウズ3.0で稼働し、グラフィカル・ユーザーインターフェ
イスを装備したそれは、1991年の基準からすると最先端のソ
フトウェアだった。工場で製造されるさまざまなカップ、マグ、
皿の画像まで入っていた。

　プロジェクトは広範囲にわたるうえ、開発期間中もその範囲
は拡大し続けた。スケジュールは常に押せ押せだった。暑い夏、
学生寮の部屋にこもり、昼夜を問わずコーディングにいそしん
だにもかかわらず、ゴールはまったく見えてこない。先方の最
高情報責任者（CIO）がとうとうしびれを切らし、「ミーティング
を開くので、そこでプロジェクトの完了を正式に発表すると同
時にソフトウェアのデモンストレーションを行うように」と要求
してきた。当日の朝、不安を覚えつつオフィスでソフトウェア
の微調整をすると、私は書類をブリーフケースに押し込み、ヘ
ルシンキ市内を走るトラムに乗って顧客とのミーティングに向
かった。到着すると、デスクトップ・コンピュータと大型の
CRTスクリーンを備えた会議室で、CIOと彼のアシスタントが
私のデモを待っていた。

　ろくに座りもせずにブリーフケースを開けたとき、私は職場

のPCのドライブにフロッピーディスクを入れっぱなしにしてきたことに気がついた。つまり、デモンストレーションするはずのソフトウェアは、ここにはないのである。そのことをCIOに告げると、彼はブチ切れた。CIOは、ソフトウェアは完成にはほど遠く、私が時間稼ぎの言い訳をしているにちがいないと確信していたのだ。私は、ソフトウェアはまちがいなくオフィスのフロッピーディスクにあると断言し、ミーティングを翌日に延期してほしいとお願いした。

するとCIOはさらに機嫌を損ね、それは絶対に受け入れられないと答えた。忘れたフロッピーを取ってくるまで、彼らは会議室で待つという。「わかりました、しかしトラムでオフィスに行き、戻ってくるまでに1時間半ほどかかります」と私は言った。怒りで顔を赤くしたCIOはしばし思案し、自分の車——ショールームから届いたばかりのサーブ9000ターボ［かつて存在したスウェーデンの自動車メーカー・サーブがイタリアのフィアット、ランチア、アルファロメオと共同のプラットフォーム開発を行う「ティーポ4」というプロジェクトから生みだしたフラッグシップ車］——を使いなさいと言ってキーを私に手渡した。恐る恐る、私はその真新しい車でヘルシンキの街を走り出した——そして、事故を起こした。

この話をツイッターでしたところ、フォロワーのひとりに「どうやって次の職に就いたのか」と尋ねられた。実のところ、幸い次の職を探すことはなかった。データ・フェローズは私を不問に処し、その後も企業として成長を続け、情報セキュリティ事業に特化するようになった。30年後のいまも、私はこの会社に勤めている。

陶磁器工場用のアプリケーションはしばらくして完成し、2005年まで使われていた。

CHAPTER 1

最高で最悪な
インターネット

私たちが生きているのはテクノロジー革命の時代だ。世界はいま、これまでにないスピードで変化している。インターネットが形作った世界のありようは、これからも変わることはないだろう。地理的障壁をなくし、途方もない利益をもたらしたインターネットだが、その一方でまったく新しいタイプのリスクを生み出した。

🔒 インターネット先史時代

　インターネットとは何か？　それはネットワークのネットワークだ。核戦争をも耐え抜けるよう構築されたインターネットは、いまや多くの人たちが生まれる前からこの世にあり、私たちが亡き後も存在し続けるネットワークの集合体なのだ。

　インターネットの歴史は1960年代、米国国防総省が高等研究計画局ネットワーク（ARPANET）と呼ばれる新たな情報ネットワークの設計を開始したときに始まった。インターネットを使っていると、いまでも「ARPANET」の名に遭遇することがあるかもしれない。ソースアドレスを検索すれば、たまに「in-addr.arpa」や「ip6.arpa」といった文字列を見つけることがあるだろう。このドメイン名「.arpa」は、インターネットの原型となったARPANETに由来する。

　最初のルータがインターネットに接続されたのは1969年8月。ネットワーク上に存在したのはそのルータだけだったので、どこにもデータを送ることはできなかった。データ・パケットが初めて転送されたのは1969年10月29日で、ネットワークで接続されたカリフォルニア大学ロサンゼルス校（UCLA）からスタンフォード大学にメッセージが送信された。

　初期のデータ転送プロトコルの速度は遅く、エラーも多発したが、そうした問題も1973年のトランスミッション・コントロール・プロトコル／インターネット・プロトコル（TCP/IP）とイーサネットの開発によって解決する。これらのネットワーキングがインターネットのひな型を形作った。TCP/IPは送信者から受信者へのデータ・パケットの伝送を確実なものにし、イーサネットは端末がデータを受け取る方法を標準化した。よく「イーサネットは理論よりも実践でうまく機能した」と冗談交じりで言われたものだが、それどころかイーサネット・プロトコル

16

の貢献度は非常に大きかった。

　インターネットがすでに存在していたとはいえ、1970年代は
まだ世界に変化は起こらなかった。なぜなら、コンピュータを
もっている人がほとんどいなかったからだ。メインフレーム［企
業や官公庁などの基幹システムに用いられる大型コンピュータシステム］を使用
していたのは、大学や大企業だけだった。1980年代になると
アップルII（Apple II）やコモドール64といった8ビット・ホームコ
ンピュータが登場するが、それらにもネットワーク接続機能は
なかった。すべてを変えるには、もうひとつ必要なものがあっ
た――オープンで標準化されたパーソナルコンピュータだ。

　メインフレーム製造で知られた巨大IT企業・IBMは1981年
8月、インテル製の中央処理装置と、当時まだ小規模スタート
アップだったマイクロソフト製オペレーティング・システム（OS）
を搭載した、IBMパーソナルコンピュータ（IBM PC）を発売した。

　特筆すべきは、IBM PCがオープン・アーキテクチャ方式［コ
ンピュータ内の命令伝達や連携の仕組みを公開する方式。そのアーキテクチャに
基づいて設計・開発されたプログラムはどんなものでも動かせるため、互換機やサ
ードパーティ製ソフトウェアの開発を容易にした］を採用したため、誰でも
プログラムを作ることができた点だ。その結果、すぐに多くの
メーカーが同じソフトウェアを稼働させることができる互換機
の製造を開始した。OSこそ完全なオープンソースではなかっ
たが、それでも十分だった。PCが大成功し、そしてIBMの販
売台数があっという間にHPやデルなどの互換機メーカーに追
い抜かれ、おそらく当のIBMがPCのすばらしさにいちばん驚
いたのではないだろうか。

　オープン性と標準化をこの世界に持ち込んだことで、IBM
PCは期せずして比類なき大きな功績を残した。いま、私たち
はコンピュータや周辺機器の互換性をあたりまえだと思い込ん
でいるが、それはまちがいだ。現に自動車、冷蔵庫、ゲーム
機、カメラといった機器のほとんどは、クローズド・エコシス

テム［他社製品との互換性がなく、相互作用ができないプラットフォーム］の中
で動いている。PCは幸運な例外、というわけだ。PCは、制
限なしに自由にソフトウェアや周辺機器を開発することができ
るオープン・エコシステム［ほかのテクノロジーやプラットフォームとの自由
な連携をサポートするプラットフォーム］を生み出した。そこには、ロー
カルエリア・ネットワークや電子掲示板（BBS）へのアクセスを
可能にするモデムやネットワーク・カードも含まれている。

　初期段階でいくつもの道に枝分かれしていったインターネッ
トとPCの革命は、ある一点へと向かいはじめた。大きな変化
の発生にはもうひとつ、足りないものがあった。1988年の報
告書「国家的リサーチ・ネットワークの構築に向けて（Towards
a National Research Network）」に触発された米国上院議員アル・
ゴアは、情報スーパーハイウェイ構想の実現を目指し、研究
開発に割り当てる6億ドルの連邦予算の獲得に動き出した。

　その一年後、スイスではティム・バーナーズ＝リーがサーバ
と端末間の通信を可能にする規則＝ハイパーテキスト・トラン
スファー・プロトコル（HTTP）と、ウェブページを構成するため
の言語＝ハイパーテキスト・マークアップ・ランゲージ（HTML）
を開発した。これらふたつのしくみが基幹となってワールド・
ワイド・ウェブ、略してWWWが誕生した。初のWWWサーバ
を設計したのは、バーナーズ＝リーとアリ・ルオトネン、ヘン
リク・ニールセンの三人だ。

　だが、プロトコルとサーバだけでWWWの使用が可能にな
るわけではない。ユーザーにはブラウザが必要だった。現在
のクローム（Chrome）やサファリ（Safari）のようなブラウザは、
1990年代初頭にはまだ影も形もない。初期のブラウザのプロ
トタイプのひとつ、「エルワイス（Erwise）」はヘルシンキ工科大
学で開発された。ティム・バーナーズ＝リーはフィンランドに
足を運び、エルワイスを製品化するよう開発チームを促した。
だが残念ながら、それは実現しなかった。チームのプログラマ

ーのひとりが夏期プロジェクトとして開発を続け、ブラウザを完成させたいと望んだものの、大学が夏期インターンを雇うのは予算的に無理だったという。結局、フィンランド製ブラウザが産声をあげることはなかった。

モザイク（Mosaic）ブラウザが完成したのは1993年である。私を含む多くの人にとって、モザイクは生まれて間もないWWWへのアクセスを可能にした最初のソフトウェアだ。その後、モザイクをもとにネットスケープ（Netscape）が開発されて一般に普及し、さらにその後継としてファイアフォックス（Firefox）が登場した。モザイクは誰が開発したのか？　それこそは、米国立スーパーコンピュータ応用研究所が、アル・ゴアが提唱した連邦予算の援助を受けて生み出したものだった。

1990年代の技術の進歩によってインターネット接続は広まり、オンライン・サービスやオンライン店舗の数も増えた。最初の携帯電話にインターネット接続機能はなかったが、進化は急速に進み、やがて携帯電話はオンライン・サービスを利用するいちばん身近なツールになった。

インターネットは人と人との距離を縮めた。長距離電話や国際電話と聞いても、いまの若い世代はピンとこないだろう。だが事実、インターネットが生まれる前は、相手のいる場所が遠ければ遠いほど、通信費は高くなった。それが今日、ZOOMミーティングに出席する、あるいはファイルを送信するのにかかるコストは、相手が隣の家にいようと世界の反対側にいようと変わらない。しかも、その金額はほとんどゼロなのだ。

インターネットのない日常生活は、いまや想像することさえ難しい。私たちの誰もが、オープンで制限のないインターネット・アクセスを与えられた。つまり、未来の世代にどんなインターネットが遺っていくかは、私たちしだいだ。

🔒 最初のウェブサイト

世界初のウェブサイトは三つで、スイス、アメリカ、オランダで作られた。1994年初めには、ウェブサイトの数は約700に増えた。

WWWの大いなる将来性に惹かれ、1994年4月、私は会社のウェブサイトを作った。ドメイン名は「datafellows.fi」。そのころフィンランドにウェブサイトは20ほどしかなく、ほとんどが大学やネットワーク事業者のものだった。いまではすべてのリストを作るのも無理なくらいに、ウェブサイトの数は増えている。フィンランドを表すドメイン名「.fi」だけでも50万近く、「.com」になると1億5000万を超える。

データフェローズのウェブサイトを作った私は、意気揚々とインターネット・ニュースグループ「comp.infosystems.www.announce」に新サービスについて投稿し、サイトへのアクセス方法を詳細に記した。1994年、ウィンドウズはインターネットをサポートしておらず、ブラウザも搭載されていなかった。そのとき書いた説明を読むと、当時インターネットを利用するのに何をしなければならなかったかがよくわかる。

データフェローズのWWWサイトにアクサスするのに必要なものは次の通りです。

1. インターネット・アクセス。電話回線またはSLIP／PPP接続が可能です。一部のユニックス［AT&Tベル研究所で1969年に開発が始まったオペレーティング・システム］・ユーザーは、ターミナル接続［複数の端末から一つのサーバに接続し、遠隔でも操作できる接続方式］を使用できます。

2. TCP－IPスタック。PCユーザーはウィンドウズ・ソケット（Windows Socket）と互換性のあるスタック［複数のネットワークスイッチをポートなどを介してつなぐ仕組み］が必要です。適しているのはマイクロソフト・ウルヴァリン（Microsoft Wolverine）、FTPソフトウェアのPC／TCP、PC－NFS、SuperTCP、トランペット・ウィンソック（Trumpet Winsock）などの製品です。

3. ブラウザ。これはたとえばNCSAモザイク、セロ（Cello）、ウィンウェブ（WinWeb）、リンクス（Lynx）などです。これらのほとんどはさまざまなプラットフォームで利用可能です。ブラウザがなくても、テルネット接続が可能な場合、テキスト・ベースのWWWゲートウェイのひとつを利用することができます。

必要なプログラムの大半またはすべては、FTPサイトで無料で入手できます。
データフェローズのWWWサイトは一般に公開され、サービスは無料で提供されます。ログインは不要です。

　1994年春には、グーグルもウィキペディアもオンラインには存在しなかった。マイクロソフトにもIBMにもアップルにも、まだウェブサイトはなかった。
　設置直後、サイトの訪問者数は一日にたったの数人だったが、しだいにその数は増えていった。ところが、サイトを立ち上げて数か月後、私はうっかりサイトを壊してしまった。サーバのメンテナンス中に、削除してはいけないディレクトリを削除してしまったのだ。真っ白なウェブサイトに気がついたのは、その翌日のこと。屈辱的な思いで、私は最高経営責任者

（CEO）に電話をかけ、「会社のウェブサイトを誤ってインターネットから消してしまいました……しかもバックアップもとっていません」と報告した。けれども幸いにして、当時のサーバの再構築はとても簡単だった。

🔒 リナックス（Linux）
──世界でもっとも重要なシステム

　リーナス・トーバルズはヘルシンキ大学の学生だった1991年、独自のオペレーティング・システム（OS）を完成させた。OSは最初フリークス（Freax＝「変わり者」を意味するfreakとunixをかけ合わせた造語）と呼ばれていたが、一般配布の際にサーバ管理者がディレクトリ名をリナックスに変えた。結果としてはそれが功を奏し、リナックスの名が定着したというわけだ。

　数年前、私は高齢の親族とリナックスについて話をしていた。彼は「リナックスが当初の予測ほどにはヒットせず、マイクロソフトの競合になれなかったのは残念だ」と言った。だが、彼が乗っている車のナビとインフォテインメント・システムはリナックスで動いていた。ポケットに入ったサムスン製スマートフォンのアンドロイドOSもリナックスがベースだ。彼がしょっちゅう閲覧しているフェイスブックもリナックス・サーバ上で稼働している。メールやマップを利用するグーグルも同じ。彼がもっている旧型のデスクトップコンピュータのOSはウィンドウズだが、ほかのあらゆる領域においてウィンドウズはリナックスに大きく後れを取っていた。リナックスこそが世界でもっとも一般的、かつ重要なOSなのだ。

　ウェブサーバの大部分はリナックスを利用している。ハリウッド映画の特殊効果はリナックス上で制作されている。アマゾン・クラウド・サービスもリナックスで稼働している。世界のスマートフォンの約85％はリナックスで動いている。リナックス

に対応したクロームブックはアップルのMacBookよりも売れているし、スペースXのロケットもテスラの車も、動かしているのはリナックスだ。リナックスはそろそろ火星にだって到達しているかもしれない！

マイクロソフトでさえその事実を受け入れ、リナックスを支持している。マイクロソフトが提供するクラウドサービス、アジュール（Azure）では、ユーザーはもっとも一般的な7パターンのリナックス・ディストリビューション［狭義の「リナックス」は、カーネルと言われる中核システムだけを指す。これにさまざまなソフトウェアを組み合わせてOSとするが、手間と知識が必要なため最初からセットにして配布するのが一般的である。これをディストリビューションといい、通常「リナックス」というときはこのセットを指すことが多い］からひとつを選ぶことができる。2019年、マイクロソフトはリナックスのプログラムをウィンドウズ上で実行できる「リナックス用ウィンドウズ・サブシステム」、およびウィンドウズ独自バージョンのリナックスを開発したと発表した。リーナス・トーバルズはビル・ゲイツに勝利を収めたのだ。

リナックスはウェブサーバやスマートフォンを動かしているだけではない。世界でもっとも浸透しているIoT［モノのインターネット。家電や車など従来はネットワーク外にあったものがネット接続して情報交換を行う仕組み］デバイス向けプラットフォームのひとつでもある。スマートテレビ用のOSでいちばん普及しているのはタイゼン（Tizen）、ウェブOS（webOS）、アンドロイド、ファイアー（Fire）、そしてロク（Roku）。これらはどれもみなリナックスがベースだ。

とはいえ、OSはウィンドウズとリナックスだけではない。たとえば多くの自動車のユーザーインターフェイスは、ブラックベリーが保有するQNXを採用している。リナックスの元ネタとなったユニックス系のOSであるBSDには多くのバリエーションがあるが、主なものはアップルのマックOS、iOS、iPadOSなどだ。つまり、事実上すべてのスマートフォンはリナックス（アンドロイド）かBSD（iOS）で動いている、ということになる。最小の

IoTデバイスは、コンチキ（Contiki）、ブイエックスワークス（VxWorks）、ニュークリアス（Nucleus）、RIOTといった超軽量オペレーティング・システム上で稼働している。

　リナックスは世界を変え、リーナス・トーバルズはもっとも偉大なフィンランド人になった。国の英雄はほかにも作曲家、兵士、アスリート、政治家などがいるが、トーバルズの右に出る者はいない。わずか数十年間に、トーバルズはフィンランドのほかの誰よりも大きな価値とビジネスを生み出した。彼はいまもリナックス・プロジェクトの中心にいる。ソースコードはオープンかつ無料で、世界中の何千という人々によって開発されているが、リナックスのカーネルに加えられるあらゆる変更を監視し、承認しているのはトーバルズなのだ。

　トーバルズはまた、リナックスとは別の重要なソフトウェア・プロジェクトを生み出している──ギット（Git）だ。ギットとは、複数人が同時に編集するというコンテンツ管理の形を可能にするシステムである。主な用途はソフトウェア・コードの管理で、ギットは現在リナックスとウィンドウズ、どちらのソースコードの管理にも使用されている。それほどの規模のシステムともなれば、コード行数は数百万、数千万にものぼる。そう考えると、ギットの役割は非常に大きい。

　ギットの重要性は、ギットハブ、ビットバケット、ギットラブなどの新しい企業が設立されたことからもわかる。ギットハブは現在数千万のユーザー数を誇るが、それも2018年にマイクロソフトが同社を75億ドルで買収した理由のひとつだ。

　注目すべきは、マイクロソフトはギットの生みの親であるトーバルズからギットハブを買ったわけではないということだ。トーバルズはギットのアイデアとソースコードを無料で公開し、誰もが使えるようにした。それを利用してギットハブを立ち上げた設立者が、のちに会社を売却したのだ。リナックスも同じようにオープンにされ、グーグル、アマゾン、シーメンス、ボーイ

ングなどの大企業がそれを利用して巨額の利益を得ている。

　もしもライセンス条項や制限が課されていたら、あるいは革新的な技術が特許で保護されていたら、リナックスはこれほどまでに世界中に普及しなかったろう。『ワイアード』誌はかつてトーバルズを「フリーな世界のリーダー」と呼んだ。

　トーバルズは世界的に高い評価を受けている。小惑星9793には彼の名がつけられているし、2000年には『タイム』誌が選ぶ20世紀のもっとも重要な人物20人のひとりに名を連ねている。彼はまた、TEDトークでスピーチを行ったわずか3人のフィンランド人のひとりでもある。

🔒 iPhone vs スーパーコンピュータ

　技術革新が目を見張るほどのペースで進んだ結果、現代のスマートフォンには驚異的な演算能力が備わっている。事実、iPhoneの処理速度は1990年代に最速だったスーパーコンピュータよりも速い。

　20世紀末の時点で最速のスーパーコンピュータといえばクレイ−2（Cray-2）、シンキング・マシンズCM5（Thinking Machines CM5）、パラゴンXP/S（Paragon XP/S）だ。ワゴン車ほどもあるこれらの巨大マシンは、水冷システムを必要とした。そのため維持管理に数百万ドルの費用と大量の電力がかかったが、長期的な天候予測や高層ビルの強度計算が可能だった。

　あれから30年がたち、いまではそれと同じ演算能力をもつデバイスを、誰もがポケットに入れている。

　能力が向上しただけでなく、スマートフォンはインターネットにもつながった。みなさんのなかには、携帯電話の機能が通話とテキストメッセージの送受信だけだった時代を覚えている人もいるだろう。2021年には、携帯端末からのウェブ・トラフィックがコンピュータからのそれを上回った。フィンランドは、

モバイル通信の普及率が世界トップレベルである。4G および5G 接続の速度がきわめて速く安価なうえ、通信量制限もない。単身世帯ではモバイルネットワークが唯一のインターネット接続であることが多く、ネットフリックスで4Kの映画を見るのにもモバイルネットワークが広く利用されている。近い将来、そうした状況はどこでもあたりまえになるだろう。

🔒 コミュニティになったインターネット

『タイム』誌は毎年、その年を代表する人物、パーソン・オブ・ザ・イヤーを発表する。2006年に選ばれたのは「あなた（You）」だ。2006年といえばマイスペース（Myspace）などのソーシャルネットワークやユーチューブ（YouTube）などのサービスが成長を遂げた年で、『タイム』誌はメディアの利用方法が大きく変わろうとしていることを察知していたのだ。人々はもう、テレビや新聞から情報をただ黙って受け取るだけではない。誰もが自分の考え方や意見を世界中の人々と共有することができる、と。しかし、この革命にはマイナスの面があった。被害妄想や陰謀論者のことばも世の中に広まるおそれがあるのだ。

ウェブがもつ社会変革の力は、主流派の人々というよりは少数派にとって大きな魅力である。1990年代、小さな村に住むトランスジェンダーの人は、ひとりっきりで激しい孤独を感じていただろう。オンラインでつながることで、そうした人たちは互いに支え合う安心できる場所を見つけた。性的マイノリティにとって、ウェブはライフラインであると言っていい。同じように、ニッチな趣味の持ち主も助け合える仲間と出会い、安らぎや喜びを見つけることができる。たとえば、蒸気機関車模型のコレクターが世界的なオンラインコミュニティを設けるのだって造作もない。

一方で、破壊的な幻想や自殺衝動のある人々──学校で銃を乱射しかねない人間でさえ──もまた、オンラインでなら理解者と出会えるかもしれない。陰謀論やフェイクニュースも、インターネット上では容易に拡散しかねない。新しいうわさが国や言語の枠を越えてこれまでにないスピードで広まっていく。情報を拡散するには、ウェブはほかのどんな手段よりも効率がいい。情報には役に立つものもあれば、害をもたらすものもある。有害な情報の拡散だけを防ぐことは不可能だ。

　インターネットが広く利用可能になってしばらくのあいだ、そこは理想郷に思えた。私たちは、地球上の誰もが無料で何の制限も受けずに参加できる、オープンで自由なネットワークを構築したのだ。そこにあるのは、距離も国境も地理も関係ない、ひとつに統合された世界のはずだった。

　だが、数十年間インターネットとともに生きてきて、私たちはそこは理想郷ではないと思い知らされた。いろいろな意味で、それはむしろ悪夢と言っていい。インターネットは現実世界の写し鏡であり、現実世界を支配しているのとまったく同じ悪や欲がそこにはある。インターネットは犯罪者が国境を越えて獲物を物色し、選挙の勝敗がオンラインでどれだけ影響力を発揮したかに左右され、事実よりフェイクニュースのほうが速く拡散する世界と化した。現実世界で起きている衝突や戦争が、オンラインでも拡散しているのだ。

🔒 データ化する通貨

　インターネット上で金銭のやり取りができるようになったのは、ずいぶん前のことだ。私が初めてオンラインバンクを使って支払いをしたのは1990年だが、そのときは386DX［インテルが1985年に発表した32ビットマイクロプロセッサー］搭載の MS-DOS 機と2400bpsモデムを使って、テキストベースのバンキング・サー

ビスに情報を送った。

　現代の消費者が現金を使う機会は減る一方である。かつて
の日本［ソニーは1987年から非接触型ICシステム「FeliCa」の研究を進め、
1996年に実装。2001年には電子マネー「Edy」を運用開始する。その流れが
SuiCaへとつながっていくが、国際標準化戦略には失敗し、世界の主流をNFC
Type A/Bに奪われている］や現在の中国など、多くのアジアの国々
がキャッシュレス化を積極的に進めようとしてきた。この先、
上海では街中にある小さな自動販売機でもウィーチャット
（WeChat）やアリペイ（Alipay）などのシステムを使ったモバイル
決済が可能になるだろう。

　キャッシュレスにおける欧州のパイオニアはスウェーデンだ。
中央銀行のリクスバンクによると、紙幣流通高の対年間名目
国内総生産（GDP）比は1%に満たないという（一方、米国は8%だ）。
現金離れの加速したスウェーデンでは、2020年初め、大手
金融機関に現金の取り扱いを義務づける新たな法案が可決さ
れたほどだ。

　お金はデータである。かつて、銀行強盗の発生件数は非
常に多かった。武装して銀行に押し入り現金を要求する銀行
強盗は、1990年代にはまだ世界中で発生していた。それがい
まや、歴史の彼方に消えてしまった。銀行の実店舗は消滅寸
前だし、現存する店も保有する現金の量はひどく少ない。現
在の主流はオンライン銀行強盗である。デジタル化は、ほか
のすべてと同じように銀行強盗の性質までも変えたのだ。

　とはいえ、現金の重要性は今後も変わらない。とくに非常
時には大きな役割を発揮する。インターネットが遮断され、
電力供給もストップしたら、ほかにどんな手段で支払いをする
というのだろう？

いまや、店で売られているほぼすべての商品にバーコードがついている。バーコードは1950年代にモールス信号をもとに開発された。正方形のQRコードが一般に普及するようになったのは、1990年代に入ってからである。

1994年に日本の産業機器メーカー・デンソーウェーブが、自動車部品の箱を識別する目的でクイック・レスポンス（QR）コードを開発した。QRコードの大きなメリットは、それまでのバーコードとは異なり、文字や数字、連絡先情報、Wi-Fiアクセスポイントのログイン情報、ウェブアドレスといったデータを盛り込めることだ。QRコードの仕様では、最大データ容量は2953バイト（そんな長大なコードを見なくてすむようになってよかった）。QRコードが貼られた墓石まである。

2007年、プログラマーのジャスティン・ワットはブログにQRコードについての記事を投稿し、自分のウェブサイトjustinsomnia.orgにリンクしたサンプル画像を載せた。同じ年、グーグルが画像検索機能をアップデートした。そこで「QR code」と検索すると、ジャスティンがブログに掲載したQRコードの画像が結果のトップに表示されるようになった。そして、話はそこから思いも寄らない方向に進んでいく。ジャスティンのQRコードをつけたポスターやTシャツ、テレビコマーシャルが世界中に登場するようになったのだ。つまり、こういうことだ。自分の製品にQRコードをつけたいと思ったデザイナーや広告代理店は、デザインの段階で最初に見つけた、要するに「グーグル画像検索でいちばん上に表示された」QRコードを仮の代用品として使った。残念ながら、バーコードやQRコードは人間の目にはどれも同じに見えるので、一時的に使われるだけだったはずのQRコードが差し替えられることなく、そのまま広告やポスターにプリントされるケースが驚くほど多かった

のである。当然、それはジャスティンのブログにつながってしまう。

　こんなことが、ノキア、ペイパル、ブラックベリーといった名だたる大企業でも起きた。ジャスティンはその機に乗じ、有料で正しいページにリダイレクトするサービスを作って利益をあげた。広告主からすれば、数千枚のポスターを印刷し直してふたたび配布するよりも、そのほうが楽だったのである。

　QRコードとその読み取り技術は長年それほど注目を集めるようなものではなかったが、COVID-19（新型コロナウイルス感染症）のパンデミックとワクチンパスポートによって、世界の多くの国々で日常的なツールとなった。

　クレジットカードにさえ、意外なほど多くのコードが組み込まれている。昔は決済にあたり、エンボス加工されたクレジットカードの番号を、カーボン紙と「ナックルバスター」と呼ばれるインプリンター［クレジットカードの表面に浮き出たエンボス文字を、インクのついたローラーで処理伝票に転記する道具。使用者が摩擦でしばしば指の皮を剥いだりタコができたりしたため「ナックルバスター」と呼ばれた］を使って支払時に転写していた。その後、磁気ストライプ、そしてEMV［ICチップ搭載クレジットカードの統一規格］チップ、RFID［無線通信による識別技術］チップの登場によって、非接触型決済が可能になった。現代の多くのクレジットカードはこうした機能のすべてを備えている。つまり、最新のクレジットカードは、1950年代の「ナックルバスター」にもまだ対応可能なのだ！

　バーコード、QRコード、そしてクレジットカードのICチップは目につきやすいが、それだけでなく、たとえばプリンターがつける黄色い点や、紙幣に印刷されたユーリオン［紙幣などの印刷物の偽造を防止するための技術。日本のオムロンが1994年に原型を開発した］のマークなど、私たちは目に見えない無数のしるしに囲まれている。

すべてのカラープリンターは、印刷物に独自の拇印^(フィンガープリント)——目にはほとんど見えないライトイエローの点——を残す。これらは、印刷日時がわかる識別子の役割を果たしている。つまり、あなたがもし物議をかもすような何かをプリントアウトしたら、印刷物からあなたにたどりつくことができるわけだ。

2017年、アメリカ国家安全保障局（NSA）で情報漏洩が明るみに出た。あるNSA職員が、2016年の大統領選挙にロシアが介入した疑惑に関する情報をプリントアウトして『インターセプト』誌に送ったのである。『インターセプト』誌は書面をスキャンし、それらをネットで公開した。その画像からプリンターが残した黄色い点を判別するのは困難をきわめたと思われるが、重要情報は解読できたようだ——この情報提供者は、5月9日の午前6時20分にプリンター番号29535218で機密情報を印刷していた。NSAの内部調査チームは26歳のリアリティ・レイ・ウィナーをただちに逮捕し、ウィナーは懲役5年の判決を受けた。

ユーリオンは五つの円で構成されるパターンで、1996年以降多くの国の紙幣に使われている。星座にも似たこの模様は、ほかの円や類似のパターンの中央に隠れている。ドルやユーロ、ポンド、中国元、スウェーデンクローナ紙幣をよく見てみると、ユーリオンが確認できるだろう。

大半の画像処理ソフトウェアや複写機ではユーリオンのパターンを含む画像を処理したりコピーしたりできないので、偽造がいっそう難しくなる。私は一度、ハッカーたちの会議で「ユーリオンのタトゥーを顔に入れようか考えている」と言う人物と話をしたことがある。そうすれば、自分の顔を画像で認識するのが難しくなるかもしれないから、とのことだった。

🔒 インターネットの地政学

　これまで、インターネットの世界の主導権をがっちり握ってきたのは米国だ。米国には、マス向けのサービスが誕生しやすい土壌がある。世界中の人々が利用する検索エンジンやクラウドサービス、ソーシャルメディアのほとんどが米国で確立されたように。

　だが、現状を見る限り、それはちょっとピンと来ない。なぜなら、ユーザー数を指標にするならば、米国はもうずいぶん前からインターネットの主要プレーヤーではなくなっているからだ。インターネットユーザーの半数以上はアジアの人々だ。二番目に多いのは欧州で、およそ15％を占める。アフリカと中南米がそれぞれ10％で、米国のユーザーはわずか6％しかいない。

　ほとんどの分野において、欧州は米国以上に重要なプレイヤーだろう。米国の二倍の人口を抱え、国家予算に基づくと、経済活動の領域もはるかに大きい。だが、企業の時価総額を見てみると、両者の立場は逆転する。米国の上場テクノロジー企業の時価総額の合計は、欧州のすべての上場企業の合計を上回る。2022年のアップル単独の時価総額は、ドイツの全上場企業よりも高い。

　グーグル、フェイスブック［現メタ・プラットフォームズ］、マイクロソフト、アマゾン、アップル。米国のテクノロジー企業の名はすらすらと思い浮かぶ。また、中国のテクノロジー企業の名もよく耳にするようになった。ファーウェイ、シャオミ、アリババ、テンセント、レノボ……。では、欧州最大のテクノロジー企業はどうだろう？　スカイプ、スーパーセル、モヤン（マインクラフト）など、思いつくままに名前をあげていたら、売却された企業のリストができあがる。

グローバル・データベース社（GDB）が作成した、2018年時点における欧州最大のテクノロジー企業リストを以下に示す(*1)。聞き覚えのある名はいくつあるだろうか？

1. アクセンチュア
2. SAP
3. キャップジェミニ
4. ATOS
5. T-システムズ
6. コンピュータセンター
7. アマデウス
8. マイクロフォーカス
9. スポティファイ
10. ソプラ・ステリア
11. ベヒトレ
12. インドラ・システマス
13. ダッソー・システムズ
14. アグフア・ゲバルト
15. ワイヤーカード

　欧州が長いあいだ向き合ってきた現実を、今度は米国が受け入れなければならない。欧州に住む私たちのテクノロジー・プラットフォームやアプリケーションはいまや遠い国からやってきて、それを作る人は私たちの望みにも文化にも規範にもほとんど興味はない。これから、米国でも同じことが起きるだろう。

　米国は長年、オンラインの世界で他の追随を許さぬ地位に慣れきって、もはやすべてのテクノロジー・プラットフォームをコントロールできなくなっている現状を受け入れることができていない。米国に注目すべき5Gネットワーク用設備メーカーはなく、世界でいちばんダウンロードされているモバイルアプリも

米国製ではないというのに。

　コンサルティング会社のセンサー・タワーが、2021年に高収益をあげたモバイルアプリのリストをまとめている(*2)。

1.　ティックトック（中国）
2.　ユーチューブ（米国）
3.　ピッコマ（日本）
4.　ティンダー（米国）
5.　ディズニープラス（米国）
6.　グーグルワン（米国）
7.　テンセントビデオ（中国）
8.　アイチーイー（iQIYI）（中国）
9.　エイチビーオー・マックス（HBO Max）（米国）
10.　LINE マンガ（日本）

　見ておわかりのように、高収益を達成したモバイルアプリの半数がアジアの国で作られている。
　アマゾンのアレクサ・インターネットサービスによると、世界でもっとも閲覧者数の多いウェブサイトは以下の通り(*3)だ。

1.　Google.com（米国）
2.　Youtube.com（米国）
3.　Baidu.com（中国）
4.　Facebook.com（米国）
5.　Qq.com（中国）
6.　Taobao.com（中国）
7.　Zhihu.com（中国）
8.　Amazon.com（米国）
9.　Yahoo.com（米国）

10. Tmall.com（中国）

11. Wikipedia.org（米国）

12. Bilibili.com（中国）

13. 163.com（中国）

14. Weibo.com（中国）

15. Zoom.us（米国）

16. Live.com（米国）

17. Sina.com.cn（中国）

18. Sogou.com（中国）

19. 360.cn（中国）

20. Sohu.com（中国）

　中国はオンライン大国としてますます力をつけていて、いまのこの状況はほんの序章にすぎない。中国のGDPは破竹の勢いで伸びている。数年後には米国に追いつき、ほどなく欧州を超えるだろう。中国がトップの座に君臨する日も近い。

*1　Top 30 Information Technology companies in Europe by Sales in 2018
https://www.globaldatabase.com/top-30-information-technology-companies-in-europe-by-sales-in-2018

*2　Global Consumer Spending in Mobile Apps Reached $133 Billion in 2021, Up Nearly 20% from 2020
https://sensortower.com/blog/app-revenue-and-downloads-2021

*3　ランキングは随時変化していたためこの記述の執筆時点がいつかは定かではないが、アレクサによるこのサービスは2022年5月1日をもって停止しており、それより前であることは確か。

　テトリスを知らない人はいないだろう。ブロックを横一列に並べて消していく、あのゲームだ。情報セキュリティ業務は、どこかテトリスに似ている——成功は消えるが、失敗は積み重なる。セキュリティが十全に機能しているとき、その様子は外からは見えない。それに、仮に大惨事を防いでいたとしても、何も起きなかったことに感謝する人はめったにいない。

　21世紀に入るころ、いわゆる2000年（Y2K）問題を修正するため、多くの情報システムに徹底的な点検が行われた。当時のソフトウェアは、日付を取り扱う際に1985年を「85」、1995年を「95」といったように、西暦を下二ケタの数値として記憶していた。そうしたシステムが「00」または「22」のような数字をどう処理するのかが危惧されたのだ。

　多くの企業は数年を費やしてこの問題に対処し、ソフトウェアの綿密な調査を行って無数のバグを修正していった。やがてY2K問題はメディアの知るところとなり、1999年末、雑誌は新世紀の幕開けが引き起こすコンピュータの誤作動問題をセンセーショナルに訴える見出しであふれた。システムはクラッシュし、世界は暗闇に包まれるだろう、と。

　そして、2000年1月1日がやってきた。あれほど騒ぎ立てたメディアは「何事も起こらなかった」と——大きな失望を込めて——伝えた。つまり、とてつもない成果をあげた世界中の情報テクノロジー・プロジェクトは、立場のちがう人たちからすれば失敗だったわけだ。

　もちろん、すべての問題が事前に見つかり、修正されたわけではない。新世紀を迎えた時点では気づかれなかった問題もある。そのために英国では痛ましいことが起きている。Y2K問題で生じたエラーにより、ダウン症の出生前診断を受けた妊婦に事実とは逆の結果が知らされたのである。しかも、問

題はその年の夏まで明らかにならなかった。このバグのせいで、ダウン症の子を妊娠していた数人の母親にはおなかの子は陰性だと伝えられ、陰性の子を宿していた多くの母親にはその逆のことが伝えられた。それは結果として、多くの妊婦が必要のない妊娠中絶をする事態を引き起こしてしまった。

　Y2K問題は厄介だったが、同様の問題はこれで終わりではない。次に大きな障害が立ちはだかるのは2038年1月19日と言われている。時間追跡管理システムのひとつとして、リナックスはtime_t型カウンターを採用し、1970年1月1日午前0時以降の経過秒数をカウントしている。これを書いている時点で、1,618,060,916──16億秒と少し──が経過している。リナックスのシステムはもともとこの数字を32ビット整数として保存していた。その方法でいくと、保存できる最大値は2,147,483,647──約21億秒──ということになる。この数字に達するのが、2038年1月19日午前3時14分なのだ。試しにカレンダー・アプリをチェックしてみるといい。ほとんどのアプリでそれ以降の日付は表示されないはずだ［2023年6月現在、多くのアプリで改善されている模様である］。

　だが、朗報がある。2020年に発表された新バージョンのリナックス・カーネルではこの問題が修正されているのだ。リナックス・カーネル「Linux 5.6」はtime_t型カウンターを64ビットに変更した。これで数兆年分の秒数を計測できる。だが同時に悪いニュースもあって、2038年の時点でも修正前のバージョンのリナックスがまだ使用されている場合、いくつかの問題はそれよりもずっと前に発生しているおそれがある。たとえば、20年先の住宅ローン金利を計算するプログラムなどでは、2022年の時点ですでに問題が起きている可能性がある。タイム・カウンターがいきなり過去に戻ったら、予期せぬエラーが生じるだろう。ともあれ、この問題の一番の救いは、そのころには私は引退しているであろうことだ。

ちなみに、ウィンドウズには時間に関するこうした制限はない。ウィンドウズが現在使用中のカウンターが終了するのは、30828年。まあ、当分のあいだはきちんと機能するだろう。

　私はしばしばクライアントのもとを訪れ、マネジメント・チームや取締役会に最新状況の報告を行う。ときどき、チームのメンバー、たいていは最高財務責任者（CFO）が私に難しい質問をしてくることがある。年間予算をながめ、CFOは尋ねる。「我が社のITのセキュリティには問題などいっさいないのに、情報セキュリティ対策に毎年これほど高い料金を払わなければならないのはどういうわけなんだ」と。あるとき私は、いささか皮肉を込めてその問いに答えた。会議室を見回して、その清潔さをほめたのである。予期せぬ反応にCFOは戸惑っているようだった。私はほめことばを繰り返し、「これほどきれいで片づいているオフィスには管理人も清掃係もいらないでしょうから、解雇していいですよね」と言い添えた。

　情報セキュリティはテトリスと同じだ。成功は消えるが、失敗はいつまでも残る。

🔒 戦う相手は誰だ?

　インターネットによって、物理的な距離は意味をもたなくなった。犯罪の被害者になる可能性が現実世界よりもオンラインのほうが高くなる時代が、すぐそこまで来ているのだ。この傾向は、犯罪率の低い国にとくにあてはまる。

　インターネットが誕生する前、ふつうの人がねらわれるもっとも一般的な犯罪といえばスリと車上荒らしだった。そうした罪を犯す者は、たいてい近くにいる。スリが地球の向こう側から飛行機に乗ってあなたの財布を盗みに来る、なんてことはないのだ。ところが、オンラインの世界に足を踏み入れた私たちは、たとえばブラジルやベトナムにいる犯罪者に襲われる心配

をしなければならなくなった。彼らからすれば、私たちは世界中にいるターゲットのひとりにすぎない。

　正体不明の敵から身を守るのは困難だ。情報システムを守るためには、戦う相手が誰で、彼らがなぜ攻撃してくるのか知る必要がある。敵を知らなければ、努力は水の泡になりかねない。

1、男子生徒

　コンピュータウイルスの歴史の初期には、問題を引き起こすのは遊び半分でマルウェアを書く男子生徒だった。彼らには隠された動機などなく、ただマルウェアがどれほどの被害を及ぼすか、あるいはウイルスがどこまで拡散するかを知りたいだけだった。捕まるのが男子ばかりだったのはなぜか？　マルウェアを作る女子生徒もいたはずだが、捕まるようなヘマはしなかったのだろう。

　当時の情報ネットワークはきわめて原始的だったため、ウイルスはフロッピー・ディスクで拡散された。1992年に、私たちはそれまでなかった新種のウイルスのサンプルを受け取った。それはフロッピー・ディスクに入って郵送されてきた。私はマルウェアを逆コンパイル［プログラミング言語で書かれたソースコードを解析してコンピュータが実行可能なプログラムにすることをコンパイルというのに対し、逆コンパイルはプログラムを解析し、そのもとになったソースコードへの逆変換を行う作業。何らかの理由でソースコードの入手が困難なプログラムの挙動について細かく分析する際などに行う］してその特徴を次のようにまとめた。

　シンデレラⅡウイルスは1992年末に発見された。その基本構造の一部はフィンランド発祥のウイルス、シンデレラと同じである。したがって、両ウイルスの作成者は同一の可能性がある。シンデレラⅡが検出

されたのはフィンランドだけである。

シンデレラⅡはメモリ内で活性を維持し、稼働する
ほぼすべてのCOMおよびEXEファイルを感染させる。
感染したファイルはサイズが783バイト増大する。ウ
イルスは、感染したファイルのタイムスタンプは変更
しない。

ウイルスは1000個のファイルを感染させたのちに起
動する。起動後ウイルスはハードドライブのデータを
削除しようと試みるが、今回はプログラミング・エラ
ーが原因で失敗した可能性がある。

作成者の目的が、アセンブリ言語命令 INT 13、
AH=03h（ディスクへの無限の書き込み）の実行であること
は明白だ。標的はハードドライブ、マスターブート・
レコード（MBR）、およびパーティション・テーブル。
言語命令が実行されていたら、コンピュータは起動
しなくなっていただろう。だが、プログラミング・エ
ラーが生じ、ウイルスは起動していない。

その後ウイルスは文字列「Cinderella Ⅱ」を勝手に
延々とプリントアウトし続け、コンピュータをクラッシ
ュさせる。この文字列はXOR演算で暗号化され、
ウイルス・コードを見ただけでは見つけることができ
ない。

まとめると、シンデレラⅡはかなり高度な機能をもつ
ウイルスである。フィンランドのウイルス作成者は腕
を上げているようだ。

シンデレラとシンデレラⅡは、掲示板（BBS）のシステム上で
拡散した。私は拡散ルートを追跡してウイルスの発生源の手
がかりを集めた。ようやくマルウェアの最初のバージョンを大

規模BBSに送った者のユーザーIDを見つけ、BBSのシステム運営担当者に事情を説明し、彼らを説得して関係がありそうな電話番号を手に入れた。

翌日その番号にかけると、電話に出たのはある地方に住む中年の紳士だった。電話の理由を説明したところ、16歳の息子がコンピュータでさまざまなサイトにアクセスしているという。

彼と話をさせてくれないかと、私は頼んだ。少年はすぐに、自分の仕業であることがばれたとわかったようだ。私はウイルスを作りはじめた理由を彼に尋ねた。そのときの少年のことばをいまも覚えている。「僕はママとパパと田舎に住んでいる。ここは寂しいところだよ。いちばん近い村まで10キロもあって、近所に人もいない。時間をつぶすために、僕はウイルスを作ってBBSに放流し、それが世界中に広まっていくのをずっと追いかけていたんだ。カリフォルニアまで広がったとわかったときは、『やった』と思ったよ。僕はここから離れることはできないけど、僕が書いたものは世界中を旅できるんだから」

その少年の気持ちが、何となくわかる気がした。彼はまさに当時の典型的なウイルス作成者──いら立ちを抱え、サイバー空間に爪痕を残したいと願う才能ある若者──だった。

2、スパム業者

シンデレラを作った少年のようなウイルス作成者を見つけて連絡していたころは、近い将来立ち向かうべき相手が趣味のウイルス作成者でなくプロの犯罪者になるなんて言われても、私は信じなかったと思う。だがいまや、オンライン犯罪は完全にグローバル化している。

1990年代にも、ウイルスを作って金儲けしようとする者がそのうち現われるかもしれないと思ったことは何度かある。その予想は当たり、現代のマルウェア攻撃の主な動機は明らかに金だ。犯罪の様相が変わりはじめたのは2003年、ジャンクメ

ールを送る連中、つまりスパム業者がウイルス作成者と手を組んだころだ。相手が望まない広告メールを一方的に送りつけるスパミングは、2000年初めに大きな問題となった。スパム防止のために原始的なメール・フィルターが設けられたものの、スパムメールはそれをあっさりかいくぐった。

　効果の大きなスパム・フィルターを最初に開発したのは、ポール・グレアムだ。グレアムは2002年の記事「スパム対策プラン（A Plan for Spam）(*1)」のなかで、彼が用いた技術について説明している。それは、迷惑メールを判別するアルゴリズムをメールソフトに教え、ベイズの定理［統計学において、もとから持っている知見が新たなデータや経験によって変化する事後的な確率を記述する方法］を応用して正常なメールとスパムメールを区別する、というものだった。要するに、機械学習を活用するのだ。

　ベイズ・フィルターの開発者であるグレアムだが、現在はドロップボックス（Dropbox）、トゥイッチ（Twitch）、コインベース（Coinbase）、ドアダッシュ（DoorDash）、エアービーアンドビー（Airbnb）、ストライプ（Stripe）などといった会社を輩出したスタートアップ・アクセラレーター［スタートアップをサポートし、事業の成長を促すプログラムや人材、組織のこと］、Yコンビネーターの設立者として知られている。興味深いのは、その共同設立者が、1988年に初のインターネット・ワーム、「モリスワーム」を生み出して情報セキュリティの歴史にその名を刻んだロバート・T・モリスであることだ。ワームはトップニュースとなり、モリスはそれを作った罪で3年間の保護観察などの判決を受けた。モリスワームはネット上で拡散したが、フィンランドには被害が及ばなかった。なぜならフィンランドの大学ネットワークがインターネットの基幹ネットワークに接続したのは1988年11月19日、モリスワームの蔓延から二週間後だったからである。現在、大学教授を務めるモリスのウェブサイトでは、モリスワームの件はオブラートに包まれて言及されている。「ロバート・モリスはマ

サチューセッツ工科大学（MIT）コンピュータ科学教授である。1988年、彼の発見したバッファ・オーバーフロー［メモリ領域に確保したバッファを大きく上回るデータが書き込まれたときに生じる問題と、それを悪用した攻撃手法］により、インターネットが初めて人々の注目を集めることになった。モリスはハーバード大学でコンピュータ科学博士号を取得している」

　はじめのうちは、スパムを止めるもっとも効率的な方法は、スパムメールの送信に使われたメールサーバのリストを収集し、それらのアドレスから送られたすべてのメールをフィルターで除去することだった。スパム業者は絶えず新たなサーバを構築してフィルターを回避しようとしたが、それらもただちに検出された。彼らは新しい手を講じる必要に迫られた。

　次にスパム業者が目をつけたのは、アマチュアのウイルス作成者のスキルを使って、感染させた数千台のホームコンピュータのネットワークを活用するやり方だ。遊びでウイルスを書いていた少年たちは、感染させたマシンをコントロールすることはできても、その利用価値をわかっていなかった。その点、スパム業者のほうはそうしたホームコンピュータをメール送信に利用できることを知っていたのだ。この方法なら自身のサーバを用いる必要はないし、実在するユーザーのコンピュータから送られたメッセージであれば、フィルターにはじかれる可能性はうんと低くなる。

　それからまもなく、2003年にはウイルスに感染させたホームコンピュータが商品として取引されるようになった。売り手はウイルス作成者で、彼らは初めてそのスキルで金銭的利益を手に入れた。それに対して買い手は世界のスパム・キングたちで、新たなルートで無数のスパムメールを送って製品を販売し、懐を肥やした。

　ここがウイルス作成者のターニングポイントだったのは明らかだ。黎明期のホビイストや純粋主義者のなかには、スパム

や、自分の趣味がバイアグラの広告を数千万人に送りつけて金儲けに利用されるのをひどく嫌う者もいた。かなりの数のウイルス作成者がその世界とのつながりを断ち切り、ウイルスを作るのをやめて消えていった。

後に残った者の目的は金だ。マルウェアを武器にしたプロ犯罪者の時代が幕を開けたのだ。

*1　A Plan for Spam
　　 http://www.paulgraham.com/spam.html

3、プロのサイバー犯罪集団

2016年に私は新しい用語を作った───「サイバー犯罪ユニコーン」。ユニコーンとは、評価額10億ドル以上の有望な未上場テクノロジー企業を意味する。あるときから私は、プロのサイバー犯罪集団がユニコーンに匹敵するほどの富を得る時代がいつか来るのではないかと思うようになった。

サイバー犯罪ユニコーンの出現は間近に迫っている。そう考える理由はふたつだ。第一に、サイバー犯罪集団の攻撃によって奪われる金額が年を追うごとに倍々ゲームで増えていること。第二に、犯罪集団がもつ資産の価値が上がり続けていること。というのも、サイバー犯罪者は富をドルやユーロやルーブルで保有しているわけではないからだ。彼らは資産をビットコインで保有している。2016年には、1000万ドル相当の資産をもつ犯罪集団がいることがわかった。その年の1ビットコインの価値は400ドルだったが、2022年には約4万ドルにまで上昇した。つまり、1000万ドルの資産が10億ドルにまで増えたことになる。

サイバー犯罪者が潤沢な犯罪資金を手に入れたせいで、攻撃はますます激しくなる一方だ。豊富な資金力を活かして、犯罪集団は専用のデータセンターを運営し、堂々たるブランドを掲げて犯罪にいそしむことができる。弁護士を雇い、市場

で高価なエクスプロイト [ソフトウェアの脆弱性やセキュリティ上の欠陥を利用した不正なプログラム。通常はマルウェア内に組み込まれ、標的となるコンピュータに侵入し、データの破壊などの不正な活動を行うために使われる] を購入することができる。プロの犯罪者が犯罪の隠れ蓑に情報セキュリティ会社を設立し、ペネトレーション・テスト [外部のネットワークに接続してシステムに擬似的に攻撃を仕掛け、コンピュータやサーバ、システムの脆弱性を検証する方法のひとつ] のプロを採用して働かせているケースを、私たちは少なくとも二件把握している。知らないうちにサイバー犯罪に加担するはめになったITセキュリティの専門家もいるかもしれない。

　裏を返せば、いまこそユニコーン狩りの好機とも言える。米国国務省は「リーヴィル (REvil)」や「ダークサイド (DarkSide)」といった世界的なサイバー犯罪集団のメンバー逮捕に結びつく情報に、1000万ドルの懸賞金を出している。これだけの金額をかけるからには、その犯行を抑止し、猜疑心を煽って内輪もめを引き起こすなど、何らかの収穫があってほしい。国務省がかつてISISやアルカイダの指導者逮捕につながる情報にも同程度の懸賞金を出していることは注目に値する。いまや、サイバー犯罪はそれらと同等に深刻な問題なのだ。

4、過激派組織

　どんな過激派グループもテロ組織も、現在の活動の場はオンラインだ。インターネットを駆使して連絡をとり、人を集め、プロパガンダを拡散する。我が社ではテロリストによるオンライン攻撃を実際に確認したことはないが、インターネットのインフラを破壊する動機があるのは過激派グループだけかもしれない。ホビイストはインターネットを破壊したいとは思っていない。彼らはむしろネットを愛している。スパイやサイバー犯罪者にとっても、インターネットはカオスではなく役に立つものなのだ。

ISISのような集団は、個人で活動していた従来型のハッカーをことば巧みに過激派に変え、グループの一員にしてきた。そのなかに、英国からシリアのラッカに移り住んでISISに加わり、名前を変えたあるアマチュア・ハッカーがいた。私はこの人物を長いあいだ追跡してきたが、あるカンファレンスでその件に言及するというミスを犯した。私のスピーチ動画がオンラインで公開されると、ほどなくしてそのハッカーは私を脅迫するようになった。彼がドローン攻撃で死亡したときは、正直ホッとした。こうした経験もあって、私は自身の身の安全を守るセキュリティ対策についての質問には答えないようにしている。

　いまのところ、過激派はオンライン攻撃の主役ではない。これからもずっとそうであることを願おう。

5、ロレックス

　あるとき、知り合いのジャーナリストが電話をかけてきた。スパムを特集したテレビ番組にかかわっていて、私に力を貸してほしいという。

　私たちは会って話をし、いくつかの製品を試しに購入してみることにした。スパムメールの広告にある製品を買って、何が起きるかたしかめてみようとしたのだ。

　もうひとつ、スパムメール経由の買い物に使用したクレジットカードが悪用されるかどうか、そのメールアドレスがほかのスパム業者のリストに流れるかどうかも確認したかった。

　スパムメールのフォルダーをくまなく探し、いくつか製品を選んだ──精力増強オイル（VPRXオイル）、タバコ1カートン、マイクロソフト・ウィンドウズの最新版、魅力的なロレックスの時計。

　何より驚いたのは、代金を支払ったらちゃんと商品が手に入ったことだ。VPRXオイルはインドから、ウィンドウズのCD-ROMはロシアから、ロレックスの時計はイタリアから届いた。注文したタバコは届かなかったが、エストニアの販売業者はそ

の分の代金を請求してこなかった。

　次に驚いたのは、スパムサイトのセキュリティは穴だらけだったにもかかわらず、クレジットカードの情報が悪人の手に渡らなかったことだ。

　三つめの驚きは、使用したメールアドレスにそれ以降スパムが送られてこなかったことだ。購入者のメールアドレスはスパム業者たちのドル箱になりそうなものだが、そうはならなかった。

　ウィンドウズのライセンス認証は、いかにも怪しい見た目のCD-ROMで届いたが、必要な、つまり最新版ウィンドウズの情報がきちんと収められていた。コピープロテクトの外し方はずいぶん下手くそだったものの、少なくともディスクにマルウェアは仕込まれていなかった。

　残念ながら、イタリアから到着したロレックスは税関で止められた。偽造品と判定された時計は無表情な検査官の手によってハンマーでたたき壊されたため、私たちが現物を見ることはなかった。

　VPRXオイルは小さなガラスの小瓶に入っていたが、とんでもない臭いを発していた。効果のほどを試したくてオフィスでボランティアを募ったが、誰も名乗りをあげず、オイルはゴミ箱行きになった。

CHAPTER 2

マルウェア全史
——あのころ、現在、そして近未来

マルウェアは情報セキュリティにとって最大の脅威だ。かつては取るに足らなかったものが、わずか20〜30年で数十億ドル規模の犯罪産業を確立し、国家レベルのオンライン攻撃者が好んで利用するツールになった。だが、いま起きている問題さえも、ほんの序の口にすぎないかもしれない。

🔒 マルウェアの歴史

　ウイルス、ワーム、トロイの木馬といったマルウェアは、1980年代以降コンピュータのセキュリティに多大な影響を及ぼしてきた。問題はほかにもあるが、マルウェアは情報セキュリティのほぼすべての重大な不具合に共通する要素なのだ。過去30年間のマルウェアの進化はいくつかの段階に分けられ、それぞれにはっきりとした特徴がある。

1、フロッピーに仕込まれたウイルス

　科学に関する出版物の執筆者やSF作家は、1960年代にはすでにコンピュータウイルスをはじめとする問題に言及していた。実際に拡散した最初のコンピュータウイルスはアップルⅡを標的にしたマルウェア「エルク・クローナー（Elk Cloner）」で、1981年に発見された。以降1986年までのあいだに、アップルⅡをねらったウイルスはほかにも10個近く見つかっている。

　1986年、コモドール64を標的にしたウイルス（BHP）が初めて見つかった。コモドール64とアップルⅡは同様の中央処理装置（モステクノロジー6502／6510）を内蔵し、どちらも5.25インチのフロッピーディスクを使用していた。アップルもコモドールも初期のウイルスはフロッピーのやり取りを介して広まったものの、大きな問題にはならなかった。ウイルスが猛威をふるうようになるのは、IBM PCが登場してからのことだ。

　PCを感染させた最初のウイルスは「ブレイン.A（Brain.A）」で、1986年に確認された。ブレインはたびたび世界初のコンピュータウイルスと称されるが、正確にはIBM PCにとって最初のウイルスである。エルク・クローナーと同じで、ブレインもフロッピーを通じて広まった。実際には、感染したフロッピーを人が運ぶことによって、インフルエンザなどの感染症と同じようなペースで、企業から企業へ、そして都市や国の枠を越えて拡

散していった。拡散するためにはウイルスは移動しなければならないが、現実問題として、ウイルスがひとりでに、たとえばパキスタンからフィラデルフィアに行くなんて当時はあり得なかった。誰かがフロッピーを持って移動しない限りは。

フロッピーディスク経由で広まるウイルスは、別名「ブートセクタ・ウイルス」と言う。そう呼ばれているのは、初期のPCは起動時、フロッピーに入ったOSを読み込むためにディスクドライブをチェックしたからだ［当時、ハードディスクはあまりに高価だったためPCには使われておらず、フロッピーが唯一の外部記憶装置だった。つまり、OSを起動するために必要な情報の置き場であるブートセクタもフロッピー上にあった］。ブレインはじめ、「ストーンド（Stoned）」や「フォーム（Form）」などの初期のPCウイルスは、フロッピーのブートセクタにコードをコピーしたら、あとは人間がそのディスクをどこか別の場所に運ぶのを待った。ユーザーがそのフロッピーをドライブに入れて別のコンピュータを起動するのは時間の問題だ。

ウイルスに感染したフロッピーは、コンピュータの起動時にドライブに入っていなければ何の害も及ぼさない。1992年、ある銀行で珍しいタイプの大規模感染が発生した。本店財務部のMS-DOSコンピュータ数台がウイルスに感染し、それらのディスクドライブに入れたすべてのフロッピーに「フォーム.A」ウイルスがコピーされた。時間の経過とともに感染は広まり、本店で使用されている大半のディスクに及んだ。しかし、そこからほかのコンピュータに感染が広がることはなかった。というのも、その銀行ではコンピュータの再起動がめったに行われなかったからだ。コンピュータはスクリーンをオフにするだけで、常時起動したままにするのが銀行の方針だったという。ところが、営業時間中に短時間の停電が起きて、事態は一変する。当然ながら、そのときほとんどのコンピュータが使用中で、そのほぼすべてのディスクドライブにフロッピーが入っていた。

電力が復旧して再起動を開始し、ディスクからOSを読み込もうとしたとき、すべてのコンピュータがウイルスに感染してしまったのだった。

2、ブレイン.A

2010年末、私は所属するエフセキュアのPRチームが開いたある会議に招かれた。テーマはIBM PCを初めて感染させた「ブレイン.A」だ。

ブレインは非常にシンプルなウイルスだが、きわめて効率よく世界中に拡散した。情報セキュリティの仕事を始めたとき、私は判明しているすべてのマルウェアの系統を分析し、ブレインを逆コンパイルした。

PRチームは、ブレイン誕生25周年を記念するキャンペーンを展開し、その機会を利用して、マルウェアがいかに危険なもので、この数十年のあいだにどれだけ進化してきたかに対する社会の認識を高めたいと述べた。彼らの提案を聞いて、発言の許可をもらい、私はこんなふうに言った。「いや、それではありきたりだ。ブレイン・ウイルスの作成者を見つけて、なぜそんなことをしたのか聞いてみる、というのはどうだろう？」

ウイルスのコードに以下のテキストが隠されていたことを覚えていた私は、手がかりはあると考えたのだ。

Welcome to the Dungeon © 1986 Basit & Amjads (pvt) .

BRAIN COMPUTER SERVICES

730 NIZAM BLOCK ALLAMA IQBAL TOWN

LAHORE-PAKISTAN

PHONE: 430791,443248,280530.

Beware of this VIRUS...

　アラマ・イクバルはパキスタンのラホール市にある町で、バシットとアムジャッドはパキスタン人のファーストネームだ。たしかに25年がたっているが、この人物たちを見つけるのがそんなに難しいわけがない。なんと言ったって、パキスタンの人口はたったの……2億2000万人なのだ。

　プロジェクトの始動が決定し、私はエフセキュアPRチームのオッリ、映像作家のタイト・カワタとともにパキスタンに赴き、ウイルスの作者に会う様子を動画に収めることになった。当初はとにかくラホールに行って、コード内で言及されていたニザム730番地がどこか突き止めようと思っていたのだが、すぐにバシットとアムジャッドがもうそこにはいないかもしれないことに気づいた。そこで、私はつてを頼ってパキスタンのITセキュリティの専門家に手がかりを求め、ようやくバシットかアムジャッドのどちらかの知り合いとおぼしき人物のメールアドレスを手に入れた。そしてその人物にメールを送り、ふたりのどちらかに私の連絡先を渡してくれないか、とお願いした。

こんにちは！

バシットかアムジャッドに連絡をとりたいと思っています。

彼らに私の連絡先を伝えてください。

よろしくお願いします。

ミッコ・ヒッポネン

最高リサーチ責任者（ＣＲＯ）

エフセキュア

フィンランド

　二日後に一通のメールが届いた。送信者はブレイン作成者のひとり、バシット・アルビ本人で、連絡先も書かれていた。

　やあ、バシットです。僕の連絡先は以下の通りです。

　バシット・ファローク・アルビ｜ディレクター｜

　ブレイン・テレコミュニケーション社

　アラマ・イクバル町｜ニザム730番地｜

　ラホール54570｜パキスタン

　そこに書かれた文字を、私は信じられない思いでながめた。やっと見つけたブレイン作成者の連絡先が、25年前のウイルスに組み込まれていた情報と同じだったからだ──アラマ・イクバル町ニザム730番地。

　私はバシットに、こんなふうにもちかけた。

こんにちは！

ミッコ・ヒッポネンです。エフセキュアで働いています。

ブレイン.Aウイルスは1月で25歳になります。つまり、PCウイルスがこの世に誕生して25年というわけです。弊社ではこれを重要な節目ととらえ、何かしたいと考えています。ウイルスがまだ拡散していたころから、私は長いあいだブレインの分析をしてきました。

ブレイン・テレコミュニケーションでみなさんにお会いし、ワームの歴史についてお話させていただけないでしょうか。そして、その様子を収めた動画をオンラインで公開したいと思います。

ブレイン・ウイルスの誕生は歴史上重要なできごとです。その背景についてお話できれば幸いです。

お返事をお待ちしています。

　バシットとアムジャッドの兄弟はこの提案を受け入れ、私たちはラホールへの旅の準備に取りかかった。

　ラホールはパキスタン北部の、人口1000万人を超える都市である。グーグル・マップで見てみると、ラホールはインドとの国境にほど近く、市の北に位置する国境線は破線で示されている。つまり、その地域は係争中の領土で、政情が不安定ということだ。国同士の紛争は過激派グループにとって好都合で、アルカイダもラホールを拠点のひとつとして利用していた。

　私はイスラマバードのフィンランド大使館に連絡してアドバイスをもらうことにした。大使館からはすぐに返信がきた。「まず、ストックホルムのパキスタン大使館に撮影クルーのビザと撮影許可を申請しなければなりません。いますぐ手続きを始めることをおすすめします。最近では、申請の処理に最長で四か月

かかるケースもあったからです。ラホールでは現地の警備チームを雇う必要があるでしょう。料金はそれほどかからないと思います。また、移動手段も事前に確保しておいたほうがいいです」

それを読んですぐに、正式な撮影許可は申請せず、通常のビジネスビザだけで行くことに決めた。何か月も待つ余裕はなかったからだ。

大使館は現地の警備会社を推薦してくれた。問い合わせたところ、その会社はただちに返信をよこし、パキスタン警察治安部隊からボディガードと民間車両を手配できると言った。私はドライバーひとりとボディガードふたりを予約した。

出発は1月31日に決まったが、その数日前になってラホールの情勢が悪化しはじめた。詳細は不明だが、CIAの職員がラホール市内でパキスタン人二名を射殺する事件が起きていた。さらに、群衆に囲まれた彼がCIAに助けを呼ぶと、現場に向かったCIAの警備担当職員が猛スピードで車線を逆走し、付近にいた別の人をひき殺したのだという。緊迫した状況が続いているので出発を延期したほうがいいと、警備会社からメールが届いた。

すでにさまざまな手配も済んでいて、航空便のキャンセルもできない。私はオッリとタイトに会って、どうすべきか検討した。そして2011年1月31日、私たちはエフセキュア本社から空港に向かうタクシーに乗った。発給されたばかりのビザをポケットに入れ、腕にはワクチン注射の跡に貼った絆創膏がついたままで。ヘルシンキからフランクフルト経由でアブダビに向かい、そこからさらに一晩かけてラホールの空港に着陸したのが午前2時30分。飛行機の窓からのぞくと、外は暖かい雨が降っている様子だった。飛行機が滑走路を進み、霧雨のなかからターミナルの建物が姿を現した。ターミナルの中はまるで昼間のように人でごったがえしていた。

機内に預けていたかばんとカメラを受け取り、入国審査を終え、予約していたボディガードを探した。フィンランド製のSIMカードはパキスタンのネットワークには接続不能だったため、携帯電話なしで群衆の中で人を捜すのは骨が折れた。やっとのことで、オッリが革のジャケットを着て「ミスター・ミッコ」と書かれた紙を手にした男性を見つけた。

彼はヤシールと名乗り、外に停めてある少しくたびれたトヨタ・ハイエースに私たちを連れて行った。運転席にはドライバーが、その横にはボディガードが座っている。上下とも制服に身を包み、拳銃で武装したパキスタン人の警察官だ。ヤシールは、滞在中は常に彼ら三人が私たちを案内するので、彼らの付き添いなしでは絶対にどこにも行かないと私たちに約束させた。

それからヤシールは、いますぐ金を払えるかと尋ねた。わかった、と私は答え、米ドルかユーロの現金でいいか聞いた。ドルでかまわないという。ヤシールに300ドルを渡し、領収書を書いてくれと頼んだ。彼は一言、「ダメだ」と言った。私たちはバンに乗り、ホテルに向かった。すでに朝になっていた。

ホテル周辺の警備が厳重なのは、アジアの多くの国ではよくあることだ。たとえばマレーシアやインドネシアでは、警備員がホテルの敷地に入る車両の下まで鏡を使って確認することも珍しくない。そんななかでも、ラホールのアハリ・ホテルの警備の厳しさは際立っていた。たとえ軍隊でも、道路からそのまますんなりホテルの敷地内に車で入ることはできない。土嚢とコンクリートの垣根で作られた、くねくね曲がった道を必ず通らなければならないのだ。ホテルの警備員が私たちのパスポートをチェックし、車を調べて、ようやく敷地内に入ることができた。

ロビーの天井には巨大なシャンデリアがあり、内装は豪華だった。チェックイン時、フロント係は私にルームキーを手渡し

ながら、「119号室に秘密のバーがある」と教えてくれた。パキスタンはイスラム教国なので、パキスタン人は飲酒を禁じられている。その法律は外国人には適用されないが、アルコール類は目につかない場所に置いておきたいという考えらしい。あとで119号室を外から見てみたが、それはまさに隠れたバー——禁酒法時代の米国のもぐりの酒屋、とでも言おうか——だった。廊下から見たところ、ほかの部屋と変わりなかったが、ドアが開けたままになっている。ドアの向こうには小さなバースペースがあり、カウンターには微笑みを浮かべたバーテンダーがひとり。テーブルには短髪で大柄の男たちがいて、英語で話をしながらバドワイザーを瓶で飲んでいた。彼らのグレーのスーツは、まるで拳銃とホルスターをつけているみたいに不自然にふくらんでいた。あとから聞いたところでは、CIAがコンサルタントの宿泊先としてこのホテルを利用しているという。バドワイザーを飲んでいた男たちにも、厳重な警備にも、なるほど合点がいった。

翌日、私たちはバンで市の反対側にあるニザム地区に向かった。車を降りたとき、私は自分の目を疑った。感染したディスクのブートセクタで見つけた住所が、ほんとうに実在していたのだ。730番地に建っていたのは二階建ての灰色の建物で、ドアには「ブレイン・テレコミュニケーション」と書かれていた。

仲介者のカシフ・タリブがまず私たちを迎え入れた。タリブに連れられて会議室に入ると、三人の兄弟が席についていた——バシット・ファルーク・アルビ、アムジャド・ファルーク・アルビ、そしてシャヒード・ファルーク・アルビ。バシットとアムジャドは、ウイルスに名前が記載されていたまさにその人だった。

緊張しながら、私たちはしばらくのあいだ互いにしげしげと見合っていたが、私はバックパックからフロッピーディスクを取

り出して、話の口火を切った。ブレインが入ったディスクの原本を見せ、このディスクにオリジナルのコードを見つけて逆コンパイルしたのだと説明した。バシットとアムジャッドの顔に笑みがこぼれ、すぐにふたりは1990年代初期の情報テクノロジーの思い出話を始めた。

　私はウイルスが生まれた経緯を尋ねた。バシットとアムジャッドはIBMのメインフレーム関係の仕事をしていたため、1980年代初めにコンピュータを使いはじめたのだという。IBMがIBM PCを発表したとき、彼らもそれを使用することが認められた。そして、衝撃を受けた。セキュリティがメインフレームのそれとはまったくの別物だったからだ。要するに、セキュリティ機能が内蔵されていなかったのである。ユーザーアカウントも権限の設定もなく、各プログラムがデバイスに完全にアクセスできた。ソフトウェアに何をするのも自由で、許可もとらずにユーザーのフロッピーにプログラムを書き込み、拡散させることもできた。

　バシットとアムジャッドは、IBM PCのセキュリティがいかに心許ないかを実証しようと考えた。ブレインはいわばそのデモンストレーションであり、コードに作成者名を残したのはそういうわけだ。初め、ブレインはある学校内のコンピュータを次々感染させ、やがてその範囲は広がっていった。アムジャッドは、ウイルスのコード内に電話番号を見つけたユーザーから電話を受けることがときどきあったと語った。米国、ニュージーランド、ドイツなど世界各地から手紙も送られてきたそうだ。

　1986年当時、ウイルスの作成は違法ではなかった。にもかかわらず、バシットとアムジャッドはだんだんと怖くなり、ウイルスの話をするのはやめたのだという。そのあいだにも、ブレインは世界中に拡散し続けた。

　自分たちが起こした革命にどれほど大きな意味があったかわかっているか、と質問すると、ふたりはどちらも首をふった。も

し自分たちが世界初のPCウイルスを書かなかったとしても、すぐにほかの誰かが書いただろうと彼らは思っていた。

　ふたりは明らかに、現代のウイルスへの対処に手を焼いていた。何度もそれらに遭遇しては、そのたびに悪態をついてきた。だが、それはそもそも彼ら自身がこの世に生み出した問題なのだ。ただし、今日蔓延しているウイルスとは異なり、ブレインはお金を奪ったりユーザーを監視したりするのが目的ではなかった。それはただ拡散していっただけだ。

　アルビ三兄弟はその後も引き続きコンピュータ事業に携わっていた。ブレインと呼ばれる彼らの会社はラホール最大のインターネット事業者で、市内全域に光ファイバー・ネットワークを構築中だった。私たちは三兄弟とともに数日間を過ごした。

　ラホールは紛争地域にあり、通りにはたくさんの人や車が行き交い、大勢のホームレスがいたが、食べ物はエキゾチックでおいしかった。人々はたいてい機嫌がいいか、怒っているかのどちらかに見えた。あるとき、私たちのバンが信号で止まっていると、バイクに乗った現地の男が私たちの横につけた。無表情だったその男は、私の顔を目にするなり激しく怒り出した。ボディガードの説明によれば、私を米国人と思ったからだという。パキスタン人の多くは、オサマ・ビン・ラディンを追跡するためにパキスタン中に兵士を送り込んでいる米国を憎んでいた。欧米人の姿をしているという、ただそれだけの理由で敵意を向けられた国は、ほかにない。

　帰り際、ブレイン・ウイルスが入った原本のディスクをバシットとアムジャッドに渡した。言ってみれば、故郷に帰ったわけだ。

　フィンランドに戻って三か月後、私はラジオのニュース速報を聞いた。テロ集団アルカイダの指導者オサマ・ビン・ラディンがアボッターバード市内の潜伏先にいるところを米国人兵士に殺害された、とニュースは伝えていた。私はグーグル・マッ

プで、先日自分たちがビン・ラディンの邸宅からどれくらいの距離の場所にいたかを確認した。その距離はおよそ300km（190マイル）。いま思えば、ずいぶん近いところにいたものだ。

　帰国後三か月もたってから、私は経理部に提出する経費精算書をまとめた。経費のなかには「パキスタンでのボディガード費用　300米ドル　領収書なし」も含まれていた。

3、ファイル感染型ウイルス

　フロッピー・ウイルスに続く進化の段階は、プログラムファイルを感染させるウイルスである。当初、主に感染したのは、MS-DOSシステム［マイクロソフトがウィンドウズの前に開発していたOS］のCOMファイルやEXEファイルだ。フロッピーを介してだって感染する可能性はもちろんあるが、インターネットを介してファイルを共有できるサービスの登場によって、感染拡大のスピードははるかに速くなった。

　ファイル感染型ウイルスが初めて広まったのは1990年代に入ったころで、代表的なウイルスは「カスケード（Cascade）」、「ヤンキー・ドゥードゥル（Yankee Doodle）」、「エルサレム（Jerusalem）」などである。当時はまだインターネット接続が普及しておらず、ファイルは通常モデム・ベースのBBSで共有された。企業内のファイルサーバも一般的なルートだった。

　私が初めて逆コンパイルしたコンピュータウイルスはファイル感染型で、それは私が初めて名前をつけたウイルスでもあった。13日の金曜日のたびにギリシャ文字のオメガをスクリーンに表示し、コンピュータのデータを破壊することにちなんで、私はそのウイルスを「オメガ」と命名した。数年後、我が社は勤続10年の社員にオメガの時計を贈呈するようになった（ウイルスの名前を「フェラーリ」にしておけばよかった）。

　初期のファイル感染型ウイルスはMS-DOSをねらったものだったが、1992年夏、エフセキュアはスウェーデンで初めてウィ

ンドウズ OS のウイルスを検出し、「ウィンフィール（WinVir）」と命名した。それから数年のあいだに、MS-DOS ウイルスはしだいにその数を減らしていき、ウィンドウズを標的としたウイルスが主流になった。

　インターネットが普及したとき、まず利用が広がったのが E メールと FTP ファイル共有のサービスだった。ファイル・ウイルスは、ユーザーが自分が感染していると知らずにファイルを交換することで拡散していった。

4、マクロウイルス

　あなたがコンピュータを使う目的は何だろう？　ワードやエクセル（近ごろではグーグルドキュメント）で書類を作成・編集する人は多い。そして、その DOC ファイルや XLS ファイルをメールやファイル共有サービスを利用して共有する。それは文書ファイルを経由して拡散するマルウェアにとって、うってつけの環境だ。

　マイクロソフト・ワードで動作する初のマクロウイルス［文書や表計算ソフトにおいて反復処理を司る「マクロ機能」を利用したウイルス］「コンセプト（Concept）」は、1995 年に発見された。ウイルスに感染したワードファイルを開くと、コンピュータのワード環境全体がウイルスに感染する。その後、ワードの「名前をつけて保存」機能を悪用するマルウェアによって、そのコンピュータで使用されるすべてのワード文書に感染が広がる。ファイルは保存時にウイルスに感染し、作成したファイルをユーザーが共有するたびにたちまちウイルスが拡散していく。

　コンセプトは広がっていくだけで、ほかに悪さをするわけではなかった。エクセルで動作する初のマクロウイルス「ラルー（Laroux）」も、やはり XLS ファイルが共有されるときに拡散するだけだった。だがその後、破壊的なマクロウイルスが現れた。文書を文字化けさせたり上書きしたりするだけでも困るのに、もっと悪いことに、めったに気がつかないような変更を文書に

加えるのである。

　そのうち、エクセルを感染させるウイルスのなかには、ワークシートの数字をランダムに細かく変更するようなものが出現した。そうした変更はなかなか気づきにくく、ユーザーは正確でないデータをそのまま使用してバックアップをとり続けた。おかしいと気づくのは、まちがったデータをもとに作業を何度も行ったあとだ。そのときには、もうバックアップにさえ正しいファイルは保存されていなかった。

　1996年に発見された「ニュークリア（Nuclear＝「核」）」と呼ばれるワードのマクロウイルスは、ユーザーが作成する文書の最後に次のような二行を追加するものだった。

　最後に言っておきたい。
　フランスは太平洋での核実験をすべてやめろ！

　これが表示されるのは、文書が印刷されたときだけだったようだ。画面で見ている分には何の問題もないので、印刷された求人への応募書類や予算案の最後に政治的なスローガンが書かれていることにほとんどの人は気がつかなかった。

5、メールワーム

　1998年12月、エフセキュアはマルウェア「ハッピー99（Happy99）」を確認した。これが起動すると、画面に花火のアニメーションと「Happy New Year 1999」のメッセージが表示され、自らのコピーを添付したメールがアドレス帳のすべての連絡先に送信された。

　ハッピー99のようなメールワーム［ワームはウイルスとはちがい、他のファイルに寄生することなく単独のプログラムとして活動できるため、自己を複製

し拡散できる特質がある〕は、21世紀を迎えるころから増えていった。これが広まったのは、知っている人からのメールだと、人々は何の疑いももたずに開くからだ。メールワームは、感染したコンピュータのユーザーを装ってメールを送信し、拡散していく。送信先はユーザーのアドレス帳に含まれる、ほとんどが送信者をよく知る人たちだ。見知らぬ人から突然添付ファイルつきのメールが届いても開く人はあまりいないが、親しい友人や同僚、昔のクラスメートからのメールなら、人は高確率で添付ファイルをクリックする。

　状況が悪化したもうひとつの原因は、当時のEメールのシステムが添付ファイルに関して非常に寛容だったことだ。いまならメールの添付ファイルは画像、テキスト・ファイル、マイクロソフトのOffice文書が主だが、メールの初期にはEXEファイルの送信が一般的だった。つまり、ウィンドウズのソフトウェアごと共有できたのである。ファイルを受け取ってソフトウェアを起動させれば、ユーザーはウィンドウズのプログラムを自分のコンピュータで使うことができた。現在は、EXEファイルを添付しても届かない可能性が高い。危険性が高いため、送信者、受信者、事業者、いずれかのフィルターによって排除されるからだ。

　2000年5月4日、史上もっとも蔓延したマルウェア「アイラブユー（ILOVEYOU）」（別名ラブレター「Love Letter」）により、世界各地でメールシステムがクラッシュした。ラブレターはEXEファイルではなくVBSファイルの添付によって広まった。これに格納されたVBスクリプトは、シンプルなプログラミング言語だ。マルウェアが起動すると、コンピュータはアドレス帳に含まれるすべてのメールアドレスにメッセージを送信する──「私からの『ラブレター』を添付しました。読んでみてください（Kindly Check the Attached LOVELETTER Coming from Me）」。受信者がとまどいながらも「ラブレター」を読もうと添付ファイルを開くと、コ

ンピュータはワームに感染し、そこでまたほうぼうにメールが撒き散らされる。このマルウェアはまるで山火事のごとく、世界中で数千万台のコンピュータに拡散していった。

　メールワームは、長年大きな問題だった。攻撃者はマクロウイルスの技術とワームを組み合わせ、つまりメールを介してウイルスが自己拡散するようにしたので、よりたちが悪かったのだ。なかでももっとも有名なのが、ワードをねらったマクロウイルスの「メリッサ（Melissa）」だ。被害者がこれに感染した文書ファイルを開くと、メリッサはマクロが埋め込まれた文書を添付したメールを、被害者のアドレス帳にあるすべてのメールアドレスに、しかも「ミッコからの重要なメッセージ」といった具合に被害者の名前をメールの件名に冠して送信した。

　その後、ユーザーのコンピュータから抽出したDOCファイルに有害なマクロペイロード［ペイロードとはマルウェアに含まれた、悪意ある動作をする部分のコードのこと］を仕込み、そのファイルを添付したメールをアドレス帳の連絡先にランダムに送って拡散するマクロウイルスが登場した。この拡散方法は思った以上に始末が悪い。社外秘であるはずの翌年の事業計画が新聞記者に送られる、未完成の書籍の原稿が公開メーリングリストに掲載される、といったことが起きかねないからだ。実際、2000年代初めにはそうしたケースが頻発している。

6、インターネットワーム

　メールワームの拡散ペースは速い。効率のよいワームなら一日で世界を横断できるだろう。とはいえ、そのためには人の力がいる。感染したメールを誰かが開かなければ始まらないからだ。

　だが、ウイルスが次の段階に進化したことで、拡散速度は数時間から数分に短縮された。もはや人の力は必要なくなったのだ。インターネットワームは1988年に誕生し、ユニックス

のシステムで拡散したモリスワームが世界初と言われているが、それが猛威をふるうようになったのは、ネットワーク接続が当時とは比べ物にならないほど普及した2000年代だった。

　2001年に発見された「コード・レッド（Code Red）」はウィンドウズ搭載コンピュータに感染したが、標的になったのはマイクロソフトが開発したサーバ・ソフトウェアであるIIS（Internet Information Services）だけだった。コード・レッドはIISを稼働させているサーバを求めてコンピュータからコンピュータに伝播した。IISがアップデートされていないと、コード・レッドがコンピュータを感染させて、ウェブサーバのフロントページに表示されるメッセージを次のことばに改ざんした。

HELLO! Welcome to http://www.worm.com!
Hacked By Chinese!

こんにちは！　http://www.worm.comにようこそ！
中国人によってハッキングされました！

　感染したサーバは、今度はほかのマシンを物色しはじめる。標的を求めてネットワーク中を探すサーバの数は増え続け、感染率は上昇した。最終的に感染したのは30万台超で、これは2001年当時IISを使っていた全世界のサーバ数の10％前後になる。

　それからまもなく、ウィンドウズのワークステーション［一般向けPCとはちがい、高度な専門領域で用いる高性能なコンピュータ］とサーバの両方を感染させるインターネットワーム「ニムダ（Nimda）」が特定された。ワークステーションはワームが仕込まれたサーバに接続することで感染する。するとそれらはネットワーク上

の脆弱なサーバをねらってワームを伝播し、感染を拡大させる役割を担ってしまう。

2003年にはインターネット・ワームの拡散記録が打ち立てられ、それはいまだに破られていない。コンピュータはインターネット上で、トランスミッション・コントロール・プロトコル（TCP）、ユーザー・データグラム・プロトコル（UDP）のいずれかを利用して通信を行う。TCPが通信を確立するには、「ネゴシエーション」と呼ばれる接続開始のための交渉を行わなければならない。コード・レッドや「スラッパー（Slapper）」のような、拡散にTCPのしくみを利用するワームの場合、標的になったマシンが送信されたデータ・パケットに応答しなければならないため、感染速度は限定的だ。それに対してUDPには交渉の必要がない──例えるなら、相手の反応を予想したり待ったりする必要もなく、ネットワークに向かって一方的に大声で叫ぶだけで感染するようなものだ。

UDPパケットを利用して拡散した最初のワームは、「スラマー（Slammer）」と呼ばれていた。マイクロソフトのSQLデータベース・サーバ［マイクロソフトが提供する業務用データベース管理システム］を感染させたスラマーのファイルサイズは非常に小さく、わずか376バイト。UDPではメッセージのサイズが512バイトまでに制限されているが、このサイズのワームなら1パケットに収まる。

スラマーはすさまじいスピードで拡散した。感染したサーバは、ものすごい勢いでワームの入ったUDPパケットを送信しまくった。脆弱なデバイスはひとたまりもなく感染し、ワーム・パケットの一斉射撃に加わった。

スラマーは2003年1月24日土曜日午前5時31分（協定世界時）に動作を始め、15分もたたない5時45分には、経路があるすべてのマシンを感染させていた。

それはすべて、ツイート二回分のデータ容量に収まるほどの文字数しかない、ごく小さいワームから始まったのだ。

```
04 01 01 01 01 01 01 01 01 01 01 01 01 01 01 01 01
DC C9 B0 42 EB 0E 01 01 01 01 01 01 01 70 AE 42
01 70 AE 42 90 90 90 90 90 90 90 90 68 DC C9
B0 42 B8 01 01 01 01 31 C9 B1 18 50 E2 FD 35 01
01 01 05 50 89 E5 51 68 2E 64 6C 6C 68 65 6C
33 32 68 6B 65 72 6E 51 68 6F 75 6E 74 68 69 63
6B 43 68 47 65 74 54 66 B9 6C 6C 51 68 33 32 2E
64 68 77 73 32 5F 66 B9 65 74 51 68 73 6F 63 6B
66 B9 74 6F 51 68 73 65 6E 64 BE 18 10 AE 42 8D
45 D4 50 FF 16 50 8D 45 E0 50 8D 45 F0 50 FF
16 50 BE 10 10 AE 42 8B 1E 8B 03 3D 55 8B EC 51
74 05 BE 1C 10 AE 42 FF 16 FF D0 31 C9 51 51 50
81 F1 03 01 04 9B 81 F1 01 01 01 01 51 8D 45 CC
50 8B 45 C0 50 FF 16 6A 11 6A 02 6A 02 FF D0
50 8D 45 C4 50 8B 45 C0 50 FF 16 89 C6 09 DB
81 F3 3C 61 D9 FF 8B 45 B4 8D 0C 40 8D 14 88 C1
E2 04 01 C2 C1 E2 08 29 C2 8D 04 90 01 D8 89
45 B4 6A 10 8D 45 B0 50 31 C9 51 66 81 F1 78 01
51 8D 45 03 50 8B 45 AC 50 FF D6 EB CA
```

　スラマーは国際的な銀行数社に深刻な被害をもたらし、米国では1万3000台のATMが利用できなくなり、少なくとも一か所の原子力発電所のローカルエリア・ネットワークに感染が及んだ。

　スラマー同様に影響が大きかったのが、数か月後に発見された「ブラスター（Blaster）」だ。ブラスターはSQLサーバではなく、ふつうのウィンドウズのワークステーションを感染させた。2003年の時点では、ウィンドウズにファイアウォール機能はま

だ標準搭載されていなかった。そのため、たとえ地球の反対側にあろうと、原則的にどのウィンドウズ・コンピュータのオープンポートにも接続できた。ブラスターは、リモート・プロシージャ・コール（RPC）［ネットワークに接続されたほかの端末のプログラムを実行する手法］サービスの脆弱性につけ込み、攻撃データをTCPポート135に送信する。ブラスターに感染すると、ウィンドウズのコンピュータはクラッシュする。感染したOSは不可解なエラー・メッセージ「RPCサービスが異常終了したため、ウィンドウズをただちに再起動する必要があります（Windows must now restart because the RPC service terminated）」を表示し、ユーザーはウィンドウズが再起動するまでの60秒間に、作業を中断して開いているドキュメントを全部保存する羽目になった。

　ブラスターにつけ込まれたこの脆弱性は、その三か月ほど前にマイクロソフトによってすでに対応がなされていた。しかし2003年当時、ウィンドウズに自動更新サービスはなく、ユーザーはmicrosoft.comから更新プログラムを手動でダウンロードし、インストールする必要があった。しかし、これが容易にはいかなかった。プログラムをダウンロードしている最中にコンピュータが再感染し、更新が完了しないうちに再起動してしまうからだ。

　ブラスター、そしてその後に生まれた「サッサー（Sasser）」は、明らかにマイクロソフトの意識を変えた。彼らは、ウィンドウズの未来が危機に瀕していることを悟ったのだ。2003年は、それまでお粗末なセキュリティの代名詞だったマイクロソフトが、ソフトウェア業界の模範となる一歩を踏み出すターニングポイントとなった。

　インターネットワームの流行は、ファイアウォールなどのセキュリティ・システムの急速な普及に伴い、やがて下火になった。大規模感染を引き起こした最後のインターネットワーム、「コンフィッカー（Conficker）」は2008年に発見され、1000万台を

2

マルウェア全史──あのころ、現在、そして近未来

69

超えるコンピュータを感染させ、もっとも拡散したマルウェアの
リストに10年以上にわたってその名を連ねた。

7、ウイルス大戦争

　私たちエフセキュアにとって、2003年と2004年はウイルス
大戦争の年である。当時、エフセキュアのラボはヘルシンキに
しかなかった。マルウェアの流行が始まれば、時刻がたとえヘ
ルシンキの真夜中だろうと、ただちに調査が開始される。電
話が鳴り、チームが仕事に取りかかる。新種のウイルスのサン
プルを入手し、コードを逆コンパイルし、拡散方法を特定する。
それから、検出アルゴリズムを開発し、マルウェアに名前をつ
け、更新パッケージを作成し、インターネットで顧客に送る。
真剣勝負の連続だった。私たちのチームには経験豊富なプロ
がそろっており、みな自分の役割を自覚していた——その姿は、
まるで救急救命室の凄腕外科医だった。マルウェアが拡大を
続けている最中は、さながら身の危険を感じたときのように、
身体からアドレナリンが噴き出し、ずっと耳鳴りがしていた。目
の前の問題に集中するあまり、外の世界が意識から消えてい
った。重要な作業の真っ最中に別件で電話が鳴ると、相手の
話を理解するのにひと苦労だった。やり遂げたあとは、ヘラク
レス並みの偉業を成し遂げた気分がしたものだ。

　私たちは有効な対応プロセスについて話し合い、その結果、
三段階の警告システムを整備した。流行がそのうちの最高レ
ベルに達したときは、同時にいくつものことを実行しなければ
ならなかった——対応可能なアナリスト全員が呼ばれ、スタッ
フ全員に通知され、ラボのメンバーを拘束するほかのすべての
社内ミーティングをシステムが自動的にキャンセルし、顧客そ
れぞれにテキストメッセージで警告が送られ、補助スタッフに
は自動的に電話の取り次ぎが依頼され、ラボメンバーの昼休
みは返上され、ピザが注文された。社内ネットワークには「ア

ウトブレイク（開戦）ピザ」の専用アプリケーションが用意され
ていて、社員は前もってピザの好みを入力していた。

　にもかかわらず新種のウイルスが次から次へと流行するため、
いつしか緊急事態も常態化し、週に何度も午前3時や5時に
起こされるようになった。まもなく、頻発する危機は興奮では
なく疲労をもたらすようになった。2003年の夏の記憶が、私
にはほとんどない。2004年、我が社は研究部門をフィンラン
ド、カリフォルニア、マレーシアに分ける体制作りに乗り出した。
これら三か所の時差は、それぞれ約8時間。8×3＝24。とい
うわけで、三つのラボで24時間体制のオンコール対応を維持
し、全員が人間として無理のない時間に働けるようになった。

8、ウェブサイトを介した攻撃

　2010年代初頭には、マルウェアによる攻撃の主流はエクス
プロイト・キットになっていた。これによって拡散するのはウイ
ルスでもワームでもなくトロイの木馬だが、感染したマシンが
さらに感染を広げることはなかった。

　エクスプロイト・キットは、アクセス数の多いウェブサイトに
侵入し、訪問者のハードウェアをスキャンする攻撃コードをひ
そかに仕込むものだ。訪問者のマシンは広範なチェックリスト
に照らして、更新されていない要素がないか徹底的に調べら
れる。どのOSを使用しているか？　ブラウザは何か？　ブラウ
ザ拡張機能は？　ジャバはインストールされているか？　フラッ
シュはどうか？　すべて最新版にアップデートされているか？

　アップデートされていない要素が見つかれば、標的を定め
たエクスプロイト・コードが自動実行される。ユーザーが気づ
かないうちに、マルウェアがインストールされてしまうのだ。

9、携帯電話ウイルス

　2000年代初頭、もっとも重要なモバイルOSといえば、「シ

ンビアン（Symbian）」だった。そのころ、シンビアンを搭載した携帯電話の製造業者はサムスン、モトローラ、LG、ソニー・エリクソン、富士通、シャープなど10社を超えていたが、なかでも最大規模だったのがノキアだ。2001〜2009年のあいだに販売されたシンビアン内蔵の携帯電話は2億5000万台以上で、その大半がノキア製だった。

ノキアは携帯メーカーから通信インフラ業者へと転換を図ったため、いまでは以前ほどその名を目にすることはなくなった。とはいえ、みなさんのアンドロイド端末もiPhoneも、かなりの確率でノキアが構築したアクセスポイントや基地局を経由してネットワークに接続している。ノキアは現在も、9万人あまりの従業員を抱える欧州最大のテクノロジー企業のひとつなのだ。何よりすばらしいのは、その功績が世界に認められていることだ──ノキアはこれまでに数々のテクノロジー分野で九つのノーベル賞、五つのチューリング賞、ふたつのグラミー賞、七つのエミー賞 ［本書原書刊行後、八つめのエミー賞を受けた］、そしてひとつのアカデミー賞（そう、オスカーだ）を受賞している（*1）。

2004年夏に携帯電話を標的としたウイルスが初めてロシアで見つかったが、被害に遭った端末の多くはノキア製だった。「キャビル ［キャビア、カビールとも］（Cabir）」と呼ばれるウイルスが、ブルートゥースを介してシンビアンを搭載する携帯電話に拡散したからだ。キャビルは端末から端末へと伝播したが、画面にその名を表示させるだけだった。だが、ほどなくしてほかのブルートゥース・ウイルスが次々に出現し、2004年末までに特定された数は20以上にのぼった。

シンビアンを標的としたウイルスは、2004年から2007年にかけて拡散を続けた。とくに被害を拡大させたのが、ブルートゥースに加えてテキストメッセージによっても広がる「コムウォリアー（Commwarrior）」だ。

ブルートゥース・マルウェアは自動的に携帯電話にインストールされるわけではない。ほかのデバイスからブルートゥース経由で送られてきたファイルをユーザーの意志で受信しなければ感染しないのだ。そのため問題は軽視され、ユーザーの責任にされることが多かった。しかし、実際のところ問題はユーザーではない。ブルートゥース・ウイルスが広まった原因は、質の低いユーザーインターフェイスの設計にあった。

　感染したシンビアン搭載端末がほかの端末のブルートゥース圏内に入ると、キャビルやコムウォリアーはインストール・パッケージをブルートゥース・メッセージとして、標的となった携帯電話に送信する。ユーザーが受信を拒否しても、ウイルスはひたすらメッセージを送り続ける。

　そんなとき、たいていの被害者が対処をまちがった。たとえば、画面にはこんなふうに尋ねるメッセージが繰り返し表れる。「ノキア3650からブルートゥース経由で送られたメッセージを受信しますか？」選択肢は「はい」か「いいえ」の二択。画面上に質問が表示されているあいだは携帯を利用することができない。電話をかけようとしたときに、こんな不可解な問いが突如画面に出てきたら、答えざるをえない。そうしなければ電話をかけられないのだから、無視するわけにもいかなかった。

　ほとんどのユーザーは、面食らいつつも「いいえ」と答えた。ところがその瞬間に、答えがまちがっていたと言わんばかりに同じ質問がふたたび画面に表れる。電話を使いたい多くのユーザーは、最終的に「はい」を選択する──そしてその結果、携帯電話は感染する。感染した端末は、今度は行く先々でほかの携帯電話にマルウェアの送信を試みた。

　ユーザーはどうすべきだったのか？　ブルートゥースをオフにする？　それもひとつの手だったかもしれないが、攻撃を受けているあいだは電話の設定画面を開くことすらできない。正しい対処法は、その場を立ち去ることだ。ブルートゥースの通

信圏外に行けば、メッセージは消えたはずだ。とはいえ、悪戦苦闘中で知識もないユーザーが冷静にそれをできるとは考えにくい。終わらない質問攻めにイライラしたあげく、多くのユーザーは携帯電話を感染させてしまった。これは完全に、当時のメッセージ受信のインターフェイスが基本的に「端末の投げかける質問に答える」という形で設計されていたせいだ。

　ブルートゥース経由で攻撃してくるウイルスは、長いこと厄介な存在だった。私もヘルシンキで朝の渋滞に巻き込まれたとき、シンビアン内蔵の携帯電話にマルウェア攻撃を受けたことがある。近くに感染した携帯を持っている人がいたのだろう。ロンドンのホテルのロビーや、ストックホルムのアーランダ空港でも、同じことがあった。2005年にヘルシンキで開催された世界陸上競技選手権大会では、スタジアムのスクリーンに観客にウイルスへの注意喚起の文章が表示された。

　さらに、大きな金銭的損害を与えようと試みた者もいた。感染させた携帯電話に海外のサービス業者宛てにテキストメッセージを送らせて高額な通信料を払わせたり、真夜中に緊急時のホットラインサービスに電話をかけさせたりしたケースもある。およそ400個が特定されたとはいえ、シンビアンOSを標的とした悪意あるウイルスは、2007年まで野放し状態だった。

　ではどうやって、それらを排除したのか？　2007年末にノキアがリリースした「シンビアン・シリーズ60サード・エディション」は、ブルートゥース経由で表示される質問が「いいえ」ボタンでちゃんと消えるようにし、さらにその質問を記憶して繰り返し表示されないよう設定した。この細かな変更によって問題は消え、以降ブルートゥースは特筆すべきマルウェアの送信ルートではなくなった。

*1　https://www.nokia.com/about-us/our-history/

10、SNSに潜むワーム

　打つ手を封じられた攻撃者は、より成功率の高い方法——ユーザーを欺くこと——に切り替えた。現在のマルウェアは、ソーシャルメディアのメッセージやEメールを介して広がる傾向にある。ユーザーをだましてユーティリティ・プログラムやアップデートをダウンロード、インストールさせ、攻撃者の侵入経路を確保するのだ。

　フェイスブック、ツイッター、ワッツアップ、テレグラム、スナップチャットは常にマルウェアを拡散している。そうしたマルウェアはダイレクトメッセージ経由で広がるので、まったく気づかないうちに蔓延していく。

　旧来の方法で広がるウイルスの数は、減る一方だ。いまでは「コンピュータを乗っ取る」とはマルウェアを送ることではなく、ユーザーの認証情報を盗むことを意味する。そのようなケースは増加し、数々の企業ネットワークがオンラインサービスの脆弱性を突かれて侵入されている。その場合も、感染の原因は自らを拡散するウイルスやワームでなく、トロイの木馬だ。

　別の言い方をすれば、私たちは戦いに勝利し、ウイルスはほぼ絶滅したはずである。ところがその反面、オンライン攻撃の勢いは収まる気配がないのだ。

🔒 スマートフォン vs マルウェア

　スマートフォンとコンピュータ、どちらが安全か？　答えはスマートフォンだ。だが、その根本的な理由は一般的に知られているとは言えないかもしれない。

　この15年間に情報セキュリティの大幅な向上をもたらしたのは、最新のモバイルOSの普及だ。2007年の発売以降、iPhoneをねらったマルウェアの流行は、いままで発生していない。これは驚くべきことであり、アップルの努力は賞賛に値する。

iPhoneで確認された数少ないケースは、スパイウェア「ペガサス（Pegasus）」のようなツールを使った標的型攻撃だ。これらのツールはきわめて高額で、警察などの法執行機関や諜報機関でもなければ入手できない。グーグルのアンドロイドをねらったマルウェアの数はもう少し多いが、それでも通常のコンピュータよりははるかに安全性が高い。

　というわけで、モバイルOS（iOS、iPadOSおよびアンドロイド）はデスクトップOS（ウィンドウズおよびMac OS）よりも安全だと言える。それはモバイルOSが、ふつうに使用する分にはまったく問題ない程度にユーザー権限が限定的だからである。

　モバイル端末とコンピュータは似たようなものに思えるかもしれない。たとえば、iPad Proにキーボードを取りつければ、アップル製ノートパソコンのMacBookに見える。ウェブサイトの閲覧、フォトショップの利用、ゲーム、支払い、文書の処理など、ほとんどの人にとっては用途も同じだ。

　だが、プログラマーにとっては、両者にはひとつだけ大きなちがいがある。それは、MacBookはコンピュータであるという点だ。プログラマーならMacBook用のソフトウェアを書いて自分のマシンで使用できるし、それを友人に提供し、彼らのコンピュータで起動させることも可能だ。一方、iPadではそれができない。iPadの世界では、所有者が自分のデバイスをプログラムすることは認められていない。厳しい制限と思われるかもしれないが、ゲーム機などではそれがあたりまえだ。内部の構造を見る限り、iPadはプレイステーションやエックスボックス同様だ。購入後にユーザー自身がプレイステーションをプログラムするのは不可能である。できるのは、既製のゲームソフトを買ってデバイスで稼働させることだけだ。

　自作のソフトウェアをiPadで使いたいなら、まずそのプログラムをカリフォルニア州のアップル本社に送り、承認を得なければならない。アップルに認められた場合に限って、自分で作

ったソフトウェアを使用できる。同じように、プレイステーションで動作するソフトウェアはソニーが、エックスボックスのソフトウェアはマイクロソフトが承認したものだけだ。

そのような設計は制限が厳しい反面、安全性はきわめて高い。それがiPad、iPhone、あるいはプレイステーションやエックスボックスを標的としたマルウェアが蔓延しない大きな理由だ。アンドロイドも安全ではあるが、システムが若干オープンだ。アプリ・ストアのグーグル・プレイ（Google Play）のチェックはいくぶん厳密性に欠けるため、アンドロイドをねらうマルウェアはときどき発生する。とはいえ、もちろん、誰もがプログラム可能な完全なオープン環境であるウィンドウズやMac OSよりも安全だ。

ウィンドウズ製ノートパソコンをiPad Proやグーグル・クロームブックに交換し、会社全体に及んだマルウェア被害から復旧した企業を、私はいくつか知っている。そうした企業は、機能性を手放して、安全性を向上させたのだ。

つまり、とくに重要な作業をするなら、デスクトップコンピュータではなくモバイル端末を利用すべきなのだ。たとえばオンラインバンクを利用するときは、「ほんものの」コンピュータよりもスマートフォンで操作したほうが確実だ。ただし、スマートフォンにもそれなりのリスクはある。例をあげると、夜の町でタクシーの後部座席にコンピュータを置き忘れる人はまずいないだろうが、スマートフォンを忘れる人はかなりの数にのぼる。

🔒 リーガル・マルウェア

警察や軍隊などの法執行機関がウイルスなどのマルウェアを使って市民のコンピュータを感染させる、と言ったらあなたはどう思うだろうか。何を馬鹿な話を、と思うかもしれない。ところが、そうしたことは世界のいたるところでふつうに起きてい

るのだ。

　つまるところ、この問題を考えるにあたって重要なのは、私たちが当局にどんな権限を認めてもいいと思っているかだ。セキュリティとプライバシー保護のバランスがとれるのなら、私たちは当局に特別な権限を与えてもいいと判断するかもしれない。反対に、どちらか一方に偏っていたら、そういうわけにはいかないのだ。

　固定電話が一般に普及したとき、警察は盗聴の権利を認めるよう主張した。携帯電話が世に誕生し、警察にはモバイルネットワークの通信傍受が認められた。やがてその権限の範囲はテキストメッセージやEメールの追跡にまで拡大していった。しかし、強力な暗号化システムが標準的になり、警察が傍受するオンラインのトラフィックがほぼ暗号化されたことから、トラフィックを追跡するだけでは十分な捜査が行えなくなった。そこで当局は、容疑者のデバイスにマルウェアを仕掛ける権限を求めるようになった。それにより、暗号化される前、あるいは暗号解読後にメッセージを読むことができるので、暗号化の影響を受けずにすむというわけだ。

　だが、法執行機関にそのような権限が与えられたとして、どうやって容疑者のデバイスにマルウェアをインストールするのだろうか？　方法はいろいろあるが、ほとんどはサイバー犯罪者が使う方法とはまったく異なるものだ。警察なら、容疑者宅の捜索令状を請求して物理的にそのデバイスを感染させる、あるいは地元のインターネット事業者と協力し、マルウェアを仕込んだソフトウェアを容疑者にインターネットからダウンロードさせる、といった方法をとるだろう。

　私たちも警察によるサイバー犯罪者の逮捕に協力しているが、彼らが職務とはいえマルウェアを使うことには、少し抵抗感がある。この問題について警察側と話し合ったとき、私は「法

執行機関が犯人逮捕のためにマルウェアを使用する必要があると考えていることは理解するが、それでも私たちは今後もそれを防ごうとするだろう」と述べた。そして「マルウェアを利用するなら、我が社の助けは得られないものと思ってほしい」とも。いかに正しい意図であろうと、国家権力が書いたものであろうと、私たちはウイルスを無視するわけにはいかない。法執行機関がマルウェアを使いたいのはあくまで彼らの都合で、こちらには関係のないことだ。

1、「R2D2」事件

　私たちが初めて法執行機関のマルウェアに遭遇したのは2011年10月で、ドイツ政府によって作られたR2D2、またはOzapftと呼ばれるマルウェアだった。エフセキュアがこのマルウェアの検出を発表したとき、私もそれについてブログに投稿したが、慎重にことばを選び、「現場から」サンプルが送られてきたと書いた。しかし、もう真実を明かしてもいいだろう。

　当時私は、テクノロジーに関する言論の自由を訴えて活動するドイツのハッカー集団、カオス・コンピュータ・クラブ（CCC）から連絡を受けた。CCCに所属する専門家たちは、関税法違反の容疑をかけられたある人物を助けようとしていた。その本人は、ドイツ入国時、ミュンヘン空港の税関でノートパソコンをウイルスに感染させられたのではないかと疑いを抱いていたのだ。

　CCCのテクノロジー専門家は、そのコンピュータのバックグラウンドで動作している複雑なマルウェアを発見し、スカイプ、ファイアフォックス、MSNメッセンジャー、ICQチャットという四つのプログラムの動き（*1）を監視した。マルウェアを識別できるのか、そしてこの件が公になればどうなるか、CCCにも皆目見当はつかなかった。何しろそのマルウェアを作ったのは犯罪者ではなく、それとは対極にある組織だったのだから。

CCCの代表者が連絡をよこしたのは、私があるスピーチで、マルウェアの出所がどこであるかにかかわらず、エフセキュアはユーザーを守らなければならないと明言していたからだった。エフセキュアではマルウェアを、政治的、社会的な意義に関係なく、技術的に定義している。マルウェアとは「ユーザーがコンピュータに存在してほしくないソフトウェア」なのであり、R2D2はこの定義に当てはまった。

　CCCは、R2D2の件が公表されたら、有名で評価の高いサイバーセキュリティ企業は国家権力に気兼ねすることなくそれをマルウェアと認め、業界のほかの企業があとに従いやすいようにしてほしいと求めた。そしてエフセキュアはその望みをかなえた。ドイツのマスコミが情報をつかむと、1時間とたたぬ間にその一件は国際的なニュースになった。エフセキュアは即座に、マルウェア検出に関する最新情報を作成して発表した。そして同じタイミングで私はブログに投稿し、たとえ国家権力によって作られたものであってもマルウェアを駆除しなければならない正当な理由を説明した。3時間後、ウイルス対策ソフトウェアのアバスト（Avast）がマルウェアの排除を開始した。その1時間後にはマカフィー（McAfee）が排除に乗り出し、カスペルスキー（Kaspersky）も続いた。その日の夜までには、ほぼすべてのサイバーセキュリティ企業がそれに加わった。CCCの戦略が功を奏したのだ。

*1　CCCは分析の結果、キー入力を記録するキーロガーやスカイプの通信録音、画面のスクリーンショットなどの機能が認められたとしている。

2、パスワードをクラッキングせよ

　容疑者が逮捕され、そのデバイスが不明なパスワードでロックされていた場合、残された手段はただひとつ、パスワードのクラッキング［クラッキングとは、不正にシステムに侵入し、情報やデータを漏洩あるいは改ざんしたり、システムそのものを破壊すること。転じてここでは、

データを解析してパスワードを不正に解読すること]だ。最新の暗号化技術で保護されたデータ・トラフィックへの侵入はほぼ不可能だが、可能性のあるすべてのパスワードを入力して、ファイルまたはファイルシステムの暗号解除を試みることはできる。その際、数十、もしくは数百台のコンピュータにタスクを分散させれば、迅速な処理が可能だ。

　法執行機関はそのための高度な復号システムを保有している。たとえば、オランダのハーグにあるオフィスビルには、スーパーコンピュータひとつぶんの大きさで、専用の発電所が必要なほどの膨大な計算を行う復号用ハードウェアが整備されている。この規模のハードウェアなら、毎秒数百万のパスワードを試すことができる。それでも、ひとつの暗号化ファイルを開くのに数か月かかる可能性があるのだ。

　自動復号システムは、巧みな戦法でこの作業のスピードアップを図っている。容疑者のハードドライブにパスワードで保護されたファイルが見つかると、ドライブ内の全ファイルにインデックスが作成され、各ファイルからすべての文字列が収集されてパスワード候補としてテストされる。どれも該当しないときは、検出されたすべての文字列を逆さに入力してテストする。それでもだめならドライブをスキャンして未使用領域や削除されたファイルを探し、そのなかの文字列を同じように試す。この方法を実行すれば、驚くほど高い確率でファイルのパスワードは解読されるのだ。

3、ハッカーとコーヒー

　手練れのサイバー犯罪者ともなれば、自分が追われていることを察知するものだ。そして、来たるべき逮捕の時に備え、たいていは証拠を破壊する手はずを整えている。

　ボットネットを利用したロシア人犯罪者のイゴールは、サンクトペテルブルクの寝室がふたつあるアパートでコンピューティ

2

マルウェア全史──あのころ、現在、そして近未来

ングセンターを稼働させており、アパートのドアは重たい金属の枠がついた頑丈な金属製のものに変えていた。地元警察が逮捕に来たとき、イゴールには全サーバからファイルを削除する時間がたっぷりあった。警察はドアを破ることができず、その横の壁に穴を開けてようやく室内に入った。イゴールはキッチンにいた。熱いコンロの上にはやかんが置かれ、その中にはメモリーカードや携帯電話から抜き出したSIMカードが入っていた。それらの中身を復元することは、ついにできなかった。

　こうした証拠隠滅にいちばん有効な対策は、犯罪者の気をそらして、逮捕時にデバイスを破壊したりロックしたりさせないことである。ある人物を逮捕したときのユーロポール［EUの警察機構］の連係プレーはみごとだった。容疑者はカフェでノートパソコンを開いていた。そこに女性の覆面捜査官が近づき、同じテーブルに座った次の瞬間、コーヒーをこぼした。容疑者が立ち上がった隙に、待ち構えていた男性捜査官が前に出て、ロックのかかっていないコンピュータをすばやく押収。デジタル・フォレンジック［コンピュータや記録媒体に保存されたデータを収集、分析して犯罪捜査における証拠を見つける技術のこと］に回したのだった。

🔒 「トロイの木馬」について話そう

　データ窃盗をはたらくサイバー犯罪者のやり方は、何年も変わっていない。価値あるデータを盗み出し、最高値をつけた入札者にそれを売るのである。これを一歩先に進めたのがトロイの木馬型ランサムウェア［コンピュータやデバイスをロックしたり、ファイルを暗号化したりするマルウェア。その解除に金銭が要求されるのが特徴だが、支払っても無事に復元される保証はない］だ──価値あるデータなのだから、ほかの人に売らなくたって、元の持ち主から金を巻き上げればいいではないか、というのだ。

　トロイの木馬は企業だけでなく個人のユーザーにも同じよう

に被害を及ぼしている。企業は何らかの形のバックアップをとっている場合が多いのに対して、個人ユーザーとなるとその割合ははるかに低い。実際、トロイの木馬型ランサムウェアは、私たちがデバイスのメモリに保存してきたデータを人質にしてお金を奪う。コンピュータには、アーカイブやメール、それから子どもの写真などが保存されている。それがマルウェアによって暗号化されたら、大切な思い出を永遠に失ってしまいかねない。

　みなさん、必ずバックアップをとろう！　さらに、バックアップのバックアップもとろう！　バックアップが機能することを確認し、そして万が一にも家が燃えた場合に備えて、自宅以外の場所にも最低ひとつはコピーを保存しておくようにしよう。

1、トロイの木馬の歴史

　トロイの木馬型ランサムウェアの最初の事例は1989年と、驚くほど昔にさかのぼる。以下に記したのは、ライターのペッテリ・ヤルビネンが1990年に出版した書籍［"Tietokonevirukset"（フィンランド語で「コンピュータウイルス」。WSOY、1990。未邦訳）］からの引用だ。

　悪名高いトロイの木馬による攻撃が発生したのは、1989年12月。そのための準備は、三人の男がパナマに「PCサイボーグ・コーポレーション（PC Cyborg Corporation）」を設立した1989年4月にすでに始まっていた。

　1989年12月11日月曜日、PCサイボーグ・コーポレーションはロンドンから7000枚（一部の情報源によるとその数は2万3000枚にものぼったという）以上のフロッピーディスクを郵送した。宛先は、ふたつのリストに記載されて

いた住所——『PCビジネス・ワールド』誌の購入者名簿と、1988年10月にストックホルムで開かれた世界保健機関（WHO）国際エイズ会議の出席者リスト——だ。送付先は欧州を中心に、オーストラリア、アフリカ、アジアなど。白い封筒にはフロッピーのほかに1枚の青い紙が入っており、そこにはソフトウェアの名称らしき「エイズ情報入門ディスク　バージョン2.0」と、ディスクをドライブA:に挿入し、「A:INSTALL」と入力するよう書かれていた。紙の裏にはお決まりの難解なソフトウェアのライセンス使用許諾が、作成者は製品によって生じるいかなる損害にも責任を負わないという免責条項とともに記されていた。ただしそこには「ライセンス使用料を払われなければ、ソフトウェアが損害を生じさせる」ことも遠回しに書かれていたのである。コンピュータを使い慣れている人はふつう、このような文章にざっと目を通して終わりだ。だがこのケースでは、そうした雑な対応をしたのがまちがいのもとだった。

フロッピーをインストールしてから一定の時間が経過すると、トロイの木馬はコンピュータのファイルシステムを暗号化し、「あなたはソフトウェアのライセンス料189ドルを支払っていないので、コンピュータを使用できなくなりました」という通知を画面に表示した。被害者は、ロックを解除してほしければパナマへの電子送金によってライセンス料を支払うよう要求された。

「エイズ」情報のフロッピー・ディスクにトロイの木馬を仕込ませたのは、アメリカ人のジョセフ・ポップだ。彼は罪を認めたものの、裁判では心神喪失を主張した。

それからおよそ15年が過ぎた2005年、マルウェア「GPコード（GPcode）」によって、トロイの木馬型ランサムウェアの新時代が幕を開けた。GPコードはデータをロックし、ふたたびアクセスが可能になる復号キーをユーザーに売りつけた。これを模倣したいくつかのランサムウェアが現われたが、この時点ではまだ問題はかなり小さかった。

次の進化は、「ファイルフィクサー（FileFixer）」と呼ばれるマルウェアが発見された2009年に始まった。マシンがこれに感染すると、コンピュータの文書や画像が暗号化され、ウィンドウズOSが出したもののように装ったエラー通知が表示される。そこには、「ファイルシステムが破損したため、ユーザーのファイルにはアクセスできない」と書かれていた。

さらに、ユーザーは「データ・ドクター（Data Doctor）」というユーティリティをダウンロードするようすすめられる。なんと、データ・ドクターは破損したファイルを修復できるらしい。実際は暗号化を解除するだけなのだが。体験版ではほんの数ファイルしか回復させられず、すべてのファイルを「修復」するには89ドル出してソフトウェアのライセンスを購入するしかない。この犯罪の被害に遭った人の数は数千人にのぼった。彼らのファイルシステムはいっさい破損などしておらず、修復ソフトも詐欺の一部だとも知らずに。

その翌年、また新しい手口が出現した。ICPPを名乗るトロイの木馬はユーザーのコンピュータをロックして「著作権侵害アラート」を出し、システム内に違法にダウンロードされた音楽や映画を検出したため著作権料や罰金を支払うまで「ICPP著作権財団」によりコンピュータはロックされた、払わなければ刑事告訴される場合もあるとユーザーに通知した。この詐欺はとてもうまくできている。というのも、マルウェアは実際にユーザーのコンピュータにあるメディア・ファイルを検索したうえでその警告を表示していたのである。ユーザーは地方検事

に捜査されるか、クレジットカードですぐに手数料を払うかの二者択一を迫られた。

　進化の次の段階で登場したのは警察を装ったトロイの木馬だが、これはICPPトロイの木馬とそれほどちがいはなかった。「レベトン（Reveton）」はPCをロックし、画面上に警察からの通告を表示させる。メッセージは明快だった。このコンピュータは違法行為に使用されたので、今後も使用を継続するためには警察に罰金を払わなければならない、というのだ。また、レベトンはさまざまな国に合わせてローカライズされていた。感染したコンピュータの位置を特定し、地元警察になりすましてその国のことばでメッセージを表示したのである。オーストラリアではオーストラリア連邦警察、スペインではスペイン国家警察、米国ではFBIの名前で、世界中にトロイの木馬が広まっていった。レベトンの成功に触発されたのか、警察に見せかけたトロイの木馬はほかにもいくつか発生している。なかには、ユーザーのコンピュータ上に実際にあった違法コンテンツをコピーして、要求する額を釣り上げるものもあった。

　GPコード、ファイルフィクサー、ICPP、レベトンなどのトロイの木馬は、クレジットカードやギフトカード経由でお金を集めた。被害者はクレジットカードのほか、バーチャルクレジットカードを使うか、ペイセーフカード（Paysafecard）やマネーパック（Moneypak）などのプリペイドカードを販売店から購入し、詐欺師にカードの番号を送るよう指示された。詐欺師にとってもめんどうで、リスクも大きい方法だが、2013年9月、新しいタイプのトロイの木馬型ランサムウェア「クリプトロッカー（Cryptolocker）」が登場し、状況は一変した。

2、クリプトロッカー

　クリプトロッカーは、モスクワのエフゲニー・ボガチョフ率いるロシアのサイバー犯罪グループ「ゼウス」と密接な関係に

ある。ゼウスは当初、銀行を標的にトロイの木馬を拡散させていたが、その後クリプトロッカーを開発し、金銭を要求するトロイの木馬型ランサムウェアに手を広げた。ユーザーのコンピュータをロックしてファイルを暗号化したのち、クリプトロッカーは画面上に大きな赤い文字で、300ドル分のマネーパック、または2ビットコインを支払うよう求めるメッセージを表示した。2013年9月当時、1ビットコインの価値がわずか125ドル程度［2023年5月17日現在、1ビットコインの価値は26,995ドルである］だったことを考えれば、ユーザーが身代金をビットコインで支払ったのも納得できる。ゼウスのウォレットを追跡した結果、彼らが被害者から集めたビットコインは4万を超えることがわかった。トロイの木馬型ランサムウェアを使う犯罪集団にとって、仮想通貨には明らかなメリットがあった。手に入れてしまいさえすれば、それを隠すことは従来型の通貨よりもはるかに容易だったからだ。

　クリプトロッカーを模倣したトロイの木馬は、「トレントロッカー（Torrentlocker）」、「クリプトウォール（Cryptwall）」、「CTB-ロッカー（CTB-Locker）」、「テスラクリプト（Teslacrypt）」、「ジグソー（Jigsaw）」など、数え切れないほど生まれた。そしてすぐに、トロイの木馬型ランサムウェアはマルウェアを利用して金銭を詐取するもっとも一般的な手段となった。件数の増加に伴って、攻撃の対象は個人ユーザーから企業にシフトしていった。ホームコンピュータにウイルスが入り込む経路としてよく使われたのは、メールの添付ファイルもしくはウェブページに仕込まれたエクスプロイト・キットだった。一方、ビジネス・コンピュータの場合は脆弱性を突いた攻撃が主流で、最新のセキュリティ対策を講じていないRDPおよびVPNサーバがとくにねらわれた。

3、正直な犯罪者

　2016年に登場したトロイの木馬型ランサムウェア、「ポップコーン・タイム（Popcorn Time）」が要求したのは、それまでにない支払い方法だった。被害者は身代金として1ビットコインを支払うか、友人ふたりを感染させれば、無料で暗号化されたデータを取り戻すことができる、というのである。つまりあなたが感染を広げた被害者ふたりが身代金を払えば、あなたはお金を払わずにデータを回復できる、というわけだ。実に巧妙な手口ではないか。

　身代金を払えば暗号化されたファイルを元に戻すといくら約束されたところで、犯罪者がそれを守る保証などもちろんない。ところが実際には、ほとんどすべてのケースで約束は実行された。支払いが済むと、暗号化はほんとうに解除されたのである。

　犯罪集団は、詐欺を成功させるにはよい評判を確立する必要があると考えていた。身代金を払ってもデータを取り戻せないといううわさが広がれば、要求に応じる人はいなくなるだろう。よって、犯罪者は正直でなければならなかった。オンライン・フォーラムは、お金を払えば何の問題もなくファイルは復元される、と語る初期の被害者たちの経験談であふれた。評価は「五つ星、おすすめです」だ。このブランド構築戦略に従って、ランサムウェアを使う犯罪集団は自ら名前を出すし、インタビューにも応じる。

　多くのグループはチャットによるサポート・サービスまで提供している。身代金を払った被害者が確実にその対価を手に入れられ、ファイルが正しく復元されない場合はサポートを受けられるようにするためである。

　しかし、2017年に二種類のトロイの木馬が世界中で大規模に拡散しはじめると、そうした高い評価も地に落ちてしまった。ロシア発の「ノットペトヤ（Notpetya）」と北朝鮮発の「ワナクライ（Wannacry）」はどちらも、身代金を払ってもファイルが復

元されなかったからだ。

4、ノットペトヤ──ロシア発・最凶のサイバーテロ

　ふたつのランサムウェアによって2017年5月と6月に世界中で起きた攻撃は、多くの点で例外的だった。通常のトロイの木馬型ランサムウェアとのちがいは、バックにいるのが犯罪集団ではなくれっきとした国家だったことだ。ノットペトヤによる攻撃はロシア、ワナクライによる攻撃は北朝鮮によって実行されたのだ。

　ロシアのノットペトヤは、大々的な破壊行為を目的に作られた。トロイの木馬型ランサムウェアに似ているが、それはあくまでも目くらましにすぎない。これは、事実上のサイバー兵器なのだ。感染したマシンには従来同様に身代金要求のメッセージが表示されるが、お金を払ってもデータは復元されなかった。

　ノットペトヤが標的としたのはただ一か国、ウクライナだけで、攻撃者はロシア連邦軍参謀本部情報総局（GRU）74455部隊と考えられた。ロシアとウクライナはこの時点で三年間の領土紛争状態にあったことから、攻撃の理由も明白だった。それまでもロシアは数回にわたってサイバー攻撃を実行していた。その後、今日に至るまで戦いは続き、ロシア軍は執拗に攻撃を仕掛けている。

　ノットペトヤの拡散ルートは、会計ソフトの自動更新のしくみを利用するという特異なものだった。攻撃の数週間前、ロシア諜報機関のハッカーはウクライナの首都キーウに本社を置くソフトウェア会社、リンコス（Linkos）のネットワークに侵入した。リンコスの開発したソフトウェア「ミードック（MeDoc）」は利用者が多く、ウクライナ全土で経理や所得税申告書の作成に用いられている。2017年6月27日、攻撃者はミードックの最新アップデートを配布するリンコスの公式サーバにノットペトヤを仕込ませた。

ミードックを使う企業のコンピュータはアップデートを自動でダウンロードし、インストールした。ランサムウェアの影響は即座に現われ、ウクライナ企業の大半が大きな損害を被った。小売チェーンのPOSシステムは稼働を停止し、公共交通システムのサーバはダウンし、銀行のネットワークでも問題が報告された。しかも、それは始まりにすぎなかった。

　ウクライナには4000万人を超える人が暮らしている。多くの西側諸国にとって、ウクライナは天然資源の供給源であり、市場としても重要な国だ。とくに首都キーウには欧州企業の支社も多くある。それらの支社の多くもやはりミードックを使っていたため、そこからロシア政府のサイバー兵器が欧州に入り込む結果になってしまった。企業ネットワーク内に侵入したノットペトヤは、まるで山火事のように広がって、何もかもを破壊しつくした。

　すでに被害はウクライナの広い範囲に及んでいたが、ノットペトヤが国境を越えて蔓延していくのに伴い、損害は巨大なものになった。たとえば、世界最大のコンテナ輸送会社マースク（Maersk）の報告によれば被害額は3億ドル、フェデックスは4億ドルで、製薬会社メルクは8億7000万ドルを超える損失を発表した。

　最終的に、ノットペトヤによるサイバー攻撃の規模はそれまでのいかなるマルウェア、データ漏洩、ハッキングをも上回り、被害総額は史上最大となった。

5、マースクのケース

　デンマークに本社を置くマースクは、ウクライナ以外でノットペトヤの被害をもっとも受けた企業のひとつだろう。この会社は世界各国に支社をもち、8万人以上の従業員を抱える物流企業だ。70を超える港湾ターミナルを運営するなど、事業規模は非常に大きい。入港する港湾のリストを見ても、マー

スクがグローバルに事業を展開していることがわかるだろう
──ヨーテボリ、ロッテルダム、ロサンゼルス、マイアミ、ブ
エノスアイレス、バーレーン、広州、カラチ、上海、横浜、モ
ンロビア……。

2017年6月27日、これらのコンテナ港のほとんどが機能停止
に陥った。トラックによって運ばれていたコンテナの順調な流
れは止まり、マースクの港湾ゲートは正午で閉鎖された。港
に入ろうとするトラックは門の外で待たされたままだ。列はど
んどん長くなっていった。出口のゲートも閉まっていたため、
港から出ようとするトラックも身動きがとれなくなった。

しびれを切らしたトラック運転手たちは携帯電話を取り出し、
マースクの貨物システム・サポートに電話をかけた。誰も出な
かった──というより、そもそもつながってさえいなかった。マ
ースクの通常のコールセンターにかけてみた人もいたが、結果
は同じだった。困り果てた運転手たちは、今度は携帯でウェ
ブサイトmaersk.comにアクセスしようとした。サイトは開けず、
エラー・メッセージ「インデックス・ファイルが見つかりませ
ん」が表示されるばかりだった。

こうしたすべての混乱の原因はただひとつ、ノットペトヤによ
る攻撃だった。マースクのグローバルな基幹ネットワークに侵
入したノットペトヤは管理者認証情報へのアクセスを手に入れ、
会社全体に拡散し、データを暗号化してコンピュータを起動
不能にした。

破壊されたのはノートパソコン、デスクトップ、サーバだけで
はなかった。コンピュータ制御されている港湾ゲートの動作も
停止した。マースクは最新のVoIP［インターネット回線を利用して音声
通話を行う技術］システムを採用していたため、電話も止まった。
マースクのウェブサーバからはすべてのデータが削除され、顧
客や契約業者の情報は闇に消えた。

そのころ、私の友人のアンディがマースクのサイバーセキュリティ担当ディレクターを務めていた。彼はのちに、ノットペトヤの攻撃の報せを初めて聞いたときの様子を語ってくれた。

　ロンドン郊外メイデンヘッドにあるマースクのグローバルIT部門のマネジメント・チームは、近くのホテルの会議室で研修に出席していた。午前11時ごろ、アンディの電話が鳴った。ネットワークに何らかの問題が起きたという。その段階では情報が不足していたが、広い範囲で混乱が起きていることだけはわかった。

　アンディは駐車場に駐めてあった自分の車に乗り込むと、オフィスに向かった。その15分のあいだに、マースクのシステムはほぼ全滅していた。オフィスに到着したアンディは、メイデンヘッドにある会社の基幹システムがダウンしたことを知った。

　会社には世界中にデータセンターがある。それらの状況をいますぐ把握しなければならなかったが、関係各位に連絡をとるのはひと苦労だった。マースクのコンピュータとサーバがすべてクラッシュしたため、メールも社内のチャットシステムも使えなくなっていたのだ。さらに最悪なことに、社員の連絡先情報はオンラインのサーバから取り出すしくみになっていたため、サーバがダウンしてしまったいま、いっさいの情報が消えてなくなってしまっていた。メイデンヘッド・オフィスは、コンピュータとスマートフォンに保存されていたデータのほかに、世界各地の支社や社員の連絡先情報がすべて失われたという現実に直面することになった。

　少なくとも、会社のキーパーソンの電話番号は常に物理的なコピーの形で保存しておくこと。これがそのとき得られた教訓のひとつだと、アンディは語った。そんな書類が必要になる日は来ないかもしれないが、万が一必要になるときがあるとしたら、それはよほどの緊急事態だということだ。

国外のすべての支社の電話番号がどうにか集まり、それとともにマースクがいかに絶望的な状況にあるかがわかってきた。文字通り壊滅的だった——ウィンドウズを搭載したすべてのコンピュータのデータが消滅したのだ。午後になり、時間がゆっくりと過ぎていくなかで、アンディの頭に、これはマースクだけの問題なのか、それとも世界中すべてのウィンドウズ・コンピュータが破壊されたのだろうかという思いが浮かんできた。マースクの全システムがダウンしているだけでなく、ほかでも同じことが起きたのではないか、と。オフィスの窓から外をながめると、電車が走り、人々が店に入っていくのが目に入り、アンディはホッとして息をついた。被害を受けたのはマースクのシステムだけだった。

　復旧には大がかりな作業と、数週間という時間を要した。マースクはオフィス近くのホテルを数百室予約し、世界中のエキスパートを集めて力を借りた。会社のADサーバとDCサーバがすべて失われたことが、とくに大きな問題だった。アクティブ・ディレクトリ（AD）はウィンドウズ・ネットワークの認証システムだ。ADは全ユーザーの名前、メールアドレス、およびパスワードのほか、ユーザーのアクセス権限を把握している。この情報はドメイン・コントローラー（DC）サーバによってネットワーク内で共有される。マースクにはそうしたサーバが世界各地に151あった。これらが機能しなければ、会社のネットワークはないも同然だ。

　マースクのDCサーバに、このときバックアップはひとつもないと思われた。というのも、151のサーバすべてにまったく同じ情報が保存されていたからだ。それらは常にユーザー・データを自動で同期していた。つまり事実上、DCサーバには151のバックアップがあったことになる。151のサーバを同時に全部失うことなど絶対に起こりえないはずだった……ノットペトヤの攻撃さえなかったら。

マースクのIT部門は昼夜を問わず復旧作業にあたったが、DCサーバのデータは不可逆的に上書きされていて、復旧は不可能であることがわかった。150のサーバが、どれも同じ状況だった。ただ、ひとつだけDCサーバが行方不明になっていることも判明した。ナイジェリアのラゴス支社にあったものだ。調査したところ、ノットペトヤの攻撃が起きたちょうどそのとき、偶然にもナイジェリアでは停電が発生していた。それによりラゴスのサーバはオフラインとなり、電気が元通りになったときには、接続しようにもマースクのネットワーク全体が失われていた。そのためサーバはネットワークから隔絶された状態のままだったが、おかげで、会社にとって重要な情報がそのまま残されていた。そして、それはいまやマースクのネットワークを復旧させることができるただひとつのサーバだったのだ。

　マースクはラゴスのサーバのデータをインターネット経由で英国に転送しようとしたが、ナイジェリアでは国際インターネットの接続速度が遅く、数日を要するとみられた。かといって、ラゴス支社にはロンドンに行くための有効なビザをもつ社員はいない。そこで、サーバのハードドライブをラゴス空港に運び、空港まで飛んできたロンドンのIT部門の社員に渡す手はずが整えられた。値千金のハードドライブ──文字通り、同じ重さの金に匹敵する価値があるだろう──を受け取ったロンドンの社員はそれを機内に持ち込み、ファーストクラスでトンボ帰りした。そしてハードドライブは無事に到着し、ネットワークの再構築作業に入ることができた。

　これほどの規模の復旧作業に伴う問題のひとつは、既存のシステムが信頼できない、ということだ。どこかに残っているかもしれないマルウェアをふたたび起動させ、せっかく復旧させたデータを破壊されたい人などいない。そこで、マースクはすべてのノートパソコンのすべてのデータを消去した。次に、すべてのワークステーションのOSを更新した。

攻撃が起きる前、社内ではウィンドウズ7が使用されており、ウィンドウズ10へのアップグレードは面倒を嫌う社員の抵抗によってたびたび遅れていた。今回、ようやくユーザーのもとに戻ったコンピュータにはウィンドウズ10がインストールされていたが、不平を言う社員はひとりもいなかった。「いままででいちばん楽なOSアップデートだった」と、マースクのある技術者は私に語った。冗談だとは思うが。

　ノットペトヤがウクライナ支社を入り口としてマースクの社内ネットワークに侵入できたのは事実だが、ほんとうならこれほどまでの拡散は防げたはずだ。ネットワーク構造とユーザー権限レベルにおいて、マースクは無数のミスを犯していた。とは言え、攻撃後にとられた数々の措置はどれも適切だったし、現在の状況は以前に比べて大幅に改善している。

　とりわけ高く評価するに値するのは、マークスの的確なクライシス・コミュニケーション［緊急事態の発生時、その影響を最小限にとどめるために企業がとる危機管理対応、とくにメディア対応などの対外的なコミュニケーションのこと］だ。対応が迅速で、情報開示の透明性が高く、上級幹部の承認を受けた情報が一日に数回発表された。社のサーバが使えなかったため、主にツイッターやフェイスブックといったSNSを活用して情報が発表された。港で待たされていたトラック運転手たちのなかにも、それを目にした人がいたかもしれない。

6、"信頼" を損なったワナクライ

　ノットペトヤが破壊活動を目的として作られたのに対し、その一か月前に世界に拡散したワナクライは、独裁国家・北朝鮮こと朝鮮民主主義人民共和国の資金集めのために作られたトロイの木馬型ランサムウェアだ。

　北朝鮮は、ワナクライを使ってビットコインを脅し取ろうともくろんだ。長年諸外国から禁輸などの経済制裁が科されてい

る北朝鮮にとって、その影響を受けない仮想通貨は魅力的だった。ところが、広く拡散した割に、ワナクライはその目的を果たせなかった。コードはバグだらけで、身代金の回収がうまくいかなかったのだ。しかも、お金を払ってもデータを回復させず、その悪評がたちまち知れ渡ったため、被害者の金払いは悪くなった。結局、世界中で20万台以上のコンピュータを感染させたにもかかわらず、北朝鮮がウォレットにせしめたのはたった60ビットコインだった。

　ワナクライには、自分が起動しようとしているのが通常使用されているコンピュータなのか、それとも情報セキュリティ会社が設定したテスト環境なのかを認識しようとするコードが組み込まれていた。テスト環境と判断されれば、ワナクライは起動しない。その目的は、情報セキュリティ会社の自動システムと機械学習の環境を回避することにあった。ワナクライは、テスト環境は実際のインターネットではなく疑似ネットワーク環境に接続していると考え、実在しないアドレス「iuqerfsodp9ifjaposdfjhgosurijfaewrwergwea.com」への接続を試みた。登録されていないドメインなので、ネットにつながったマシンなら、当然そのたびに接続は失敗する。だが、疑似ネットワーク環境の場合は、うまくいったように見える可能性がある。つながらないはずの接続が成功したことに気がつくと、ワナクライはそれをテスト環境と判断し、死んだふりをするかのように一時停止した。

　ワナクライが拡散したのは、英国の研究者マーカス・ハッチンズがマルウェアのコード内に隠された先述のドメイン名に気づくまでのわずか数時間だけだった。そのアドレスの所有者を調べて未登録であることを確認したハッチンズは、それ以上考える必要もなく9ドル払ってそのアドレスを取得し、すべての接続要求を受け入れるよう設定したサーバに割り当てた。するとその瞬間に、ワナクライの世界的な拡散は止まった。新しい

コンピュータを感染させたワナクライは同じようにアドレスに接続を試みたが、それはすでに実在しているアドレスなので、接続は成功する。そのためワナクライは疑似ネットワーク環境につながったと判断し、それ以上拡散しなくなったわけだ。ワナクライは結局、数十万台のコンピュータを破壊しただけで終わった。マーカスはわずか9ドルで世界を救ったのだ。

7、ワナクライとの一週間

　2017年春に起きたワナクライの流行は、情報セキュリティ分野では特異なできごとだった。まったくの偶然なのだが、私はコンピュータ雑誌『Skrolli』に寄稿するために一週間の仕事を日記に記録する約束をしていた。ワナクライが発生したのはまさにその週で、ただでさえ大忙しのスケジュールに、歴史に残るマルウェアが攻撃を仕掛けてきた形になった。ワナクライはもっとも広く拡散したマルウェアのひとつだ。ここで、ワナクライと戦った私の一週間の日記をご覧いただこう。

2017年5月9日火曜日　朝、車でヘルシンキのルオホラティにあるエフセキュア本部に向かった。今日はいくつかミーティングに出て、受信トレイを整理する予定だ。昼間、ヘルシンキ中心部のホテルで開かれたクラウドに関するセミナーでスピーチ。セミナー後はオフィスに戻り、ラボで来客に応対した。RFラボ、つまりファラデー・ケージ[導体でできた空間。外部の電界を遮蔽する働きがある]は会話の話題にうってつけだ。

2017年5月10日水曜日　朝、エクスポ・アンド・コンベンション・センター・メッスケスクスに向かい、オープニング・スピーチを行った。10時に終了し、5分後にはタクシーで空港へ。スカンジナビア航空11時5分発の便でオスロに飛ぶ。その日はパラノイアと呼ばれるハッカー会議の初日だった。フィンランド

のt2、スウェーデンのセック-T、そしてノルウェーのパラノイア
は北欧の代表的なハッカーイベントだ。この日の基調講演者
は、世界でもっとも名高い自動車ハッカーのチャーリー・ミラ
ー。チャーリーとは古くからの知り合いで、午後からふたりで
長話をした。チャーリーは話のついでにこう言った。メディア
によると、彼とクリス・ヴァラセクが発見した脆弱性が原因で、
クライスラーは対策に140億ドルのコストを支払うことになった
という。「僕らに100億ドル払っていたら、脆弱性をよそに知ら
れずにすんだうえに、40億ドル浮かせることもできたのにね！」。
会議が終わり、登壇者たちと近くのレストランで夕食をともに
した。私のテーブルにはNSA［アメリカ国家安全保障局］の元職員
がふたりいた。食事のあとは30分ほど、ホテルのロビーで地
元の暗号化技術関連の起業家と話をした。

2017年5月11日木曜日　引き続きオスロに滞在。パラノイアで
午前中最初の基調講演を行った。毎年開催されるこのイベント
も十回目で、私はわずか数年のあいだに世界がどれだけ変
わったかについて、たっぷり時間をかけて話をした。10年前は
誰もがフィンランド製の携帯電話をポケットに入れていた。いま、
そんな人はひとりもいない。時がたつのは早いし、インター
ネットの世界であればなおのことだ、と。セッションが終わり、
ツイッターを開く。英国の情報セキュリティ企業の買収につい
て、エフセキュアが報道発表すると聞いていたからだ。この件
についてツイートし、新しい仲間を歓迎した。正午の便でスト
ックホルムに飛ぶことになっていたので、時間を惜しんでタク
シーの中でツイッターをチェック。ストックホルムでは、毎年
恒例のIDG［IT分野に特化した米国のメディア企業。リサーチや展示会も行
う］によるIoTイベントが開かれていた。私の出番は、ボルボ
製自動車のインターネット接続を設計した女性、トナカイをイ
ンターネットに接続した男性の次だ。私はIoTの未来と、その

是非について話した。講演後、アーランダ・エクスプレスで空港に行き、夕方の飛行機でマドリッドに向かった。

2017年5月12日金曜日　マドリッドでは、150名ほどのクライアントに企業の情報セキュリティ・ソリューションについて話した。帰りの便まで数時間あったが、空港に戻ってラウンジで仕事することにした。腰を落ち着ける間もなく、電話が鳴った。フィンランドの本社からで、スペインの大手クライアント企業に連絡してほしいという。先方の幹部に電話をかけた私は、新種のマルウェアが彼らのネットワーク内のコンピュータ数千台を感染させていることを知った。悪いことに、感染はさらに広がっている。そして最悪なことに、それはファイルを暗号化するタイプの、新しいトロイの木馬型ランサムウェア──そう、ワナクライ──だった。ワナクライはあっという間に広がって、その日のうちに史上最大の感染規模となった。標的はもっぱら大企業。夕方までに、20万台近くが感染した。搭乗時間まで、私の携帯電話は鳴りっぱなしだった。出発の遅れにより機内で離陸を待っているあいだにも、何件か着信があった。それから、乗り継ぎをするフランクフルトが嵐で、到着が2時間遅れるとのアナウンスがあった。それでも、ヘルシンキ行きのフライトも2時間遅延したおかげでどうにか間に合った。ヘルシンキに到着したのは、土曜日の午前3時だった。

2017年5月13日土曜日　6時間足らずの睡眠のあと、ふたたびサーカスのようにきりきり舞いの一日が始まった。午前中に、私たちのチームがワナクライのコードの逆コンパイルを完了。そして、ワナクライの拡散が止まったことがわかった。私の知る英国人研究者がコードの中に見つけたドメイン名が世界的な蔓延を終わらせたという。まさに表彰ものだ！　スカイプを通じ、自宅で海外のテレビ局の生インタビューを二本受けた。

そのうちひとつは、数億人の視聴者数を誇るBBCワールドだ。病院、自動車工場、発電所、鉄道会社など、世界中の企業がどのように感染していったのかについて話した。

2017年5月14日日曜日　母の日をワナクライへの対処に費やした。

2017年5月15日月曜日　ワナクライの被害がアジアで予想以上に大きいことがわかった。週が明けて、企業ネットワークへの感染が検出された。電話は鳴りやまず、私もクライアントやメディアからひっきりなしにかかってくる電話の対応に追われた。ラジオからの依頼には、状況の概要を2分ほどにまとめて録音し、音声ファイルをメールで送って対処した。それを編集せずにそのまま放送したのは、南アフリカとオーストラリアのラジオ局だけだった。CNNから電話があり、スカイプでビデオインタビューをしたいという。その様子は世界に生中継される。インタビュアーは何度か会ったことがある香港出身の女性ジャーナリストだ。放送前に、私たちは2005年に起きたソニーのルートキット問題［米国のソニーBMGがコピー・コントロールを名目に、セキュリティに脆弱性をもたらすルートキットを音楽CDに組み込んでいた問題］や、2008年のコンフィッカー［USBメモリを通じて感染するマルウェアで、世界で約1500万台を感染させた］の際に彼女から受けたインタビューについて昔話に花を咲かせた。インタビューが終わり、タクシーでヘルシンキ空港に向かった。

　そして私はいま、バルセロナに向かうフィンエアーの中でこれを書いている。明日、エフセキュアが毎年開催する重要なイベントがスタートし、クライアント企業が世界中から集まる。ワナクライが最重要トピックになることは想像に難くない。

　情報セキュリティの仕事では、必要に応じてあらゆる場所に行かなければならない。

8、「標的型」の登場

　2019年、「標的型」トロイの木馬型ランサムウェアによる攻撃が多く確認されるようになった。このタイプの攻撃では、犯罪集団は慎重に標的を選んで企業のローカルネットワークに侵入し、数日、ことによると数週の潜伏期間を経たのちにファイル暗号化を開始する。目的は、会社のすべてのファイルとバックアップにアクセスすることだ。こうしたケースでは身代金の額は通常よりだいぶ高く、数百万ドルに及ぶことも珍しくない。

　標的型の攻撃を仕掛けてくるランサムウェアには、「ロッカーゴガ（Lockergoga）」、「リューク（Ryuk）」、「ダークサイド（DarkSide）」、「メガコーテックス（Megacortex）」などがある。たとえばロッカーゴガは2019年、世界中で事業を展開するノルウェーのアルミニウム生産企業ノルスク・ハイドロ（Norsk Hydro）を攻撃した。また、リュークは新型コロナウイルスのパンデミックが起きていた2020年秋に、よりによって病院の医療システムネットワークを感染させたことでその悪名をとどろかせた。

　2020年初めにパンデミックが始まったとき、私はトロイの木馬型ランサムウェアを扱う犯罪集団に公開メッセージを送り、病院ネットワークと医療研究機関には手を出さないよう求めた。ネットウォーカー（Netwalker）、CLOP、メイズ（Maze）、ネフィルム（Nefilm）、ドッペルペイマー（Doppelpaymer）の五つのグループが声明を出し、病院を攻撃しないことに同意した。

　ところが、それから六か月後、パンデミックの最中にもかかわらずドッペルペイマーがデュッセルドルフ大学病院のサーバを暗号化したと知り、私たちは困惑した。だが、それはドッペルペイマーのメンバーも同じだった。ドイツの警察がグループに接触し、そのことを伝えたところ、彼らはそれが病院ではなく大学のネットワークだと思って攻撃したと答えた。ドッペルペイマーは復号キーを無料で引き渡し、それからはいっさいの

接触チャネルを遮断してインターネットの暗い闇の底に姿を消した。

9、さらなる進化

　トロイの木馬型ランサムウェアが登場したことのプラスの側面をあげるとしたら、少なくとも企業がデータのバックアップを頻繁に行うようになったことだ。いまでは、大企業はすべてのコンピュータに保存されているデータのバックアップを入念に実行しているし、最新のバックアップが安全なオフライン・ストレージに保存され、万が一のときにもデータ全体を迅速に復元できるよう徹底している。だが、犯罪集団もやはり同じところに注目するものだ。

　2015年、エフセキュアはホームコンピュータを標的にしたマルウェア、「キメラ（Chimera）」を確認した。ほかのトロイの木馬型ランサムウェアと同じで、暗号化されたデータの復元のためにビットコインで身代金を払うよう要求してきたが、メッセージには不吉な一文も記されていた──「身代金を払わなければ、あなたのコンピュータ上にある写真と動画をあなたの名前つきでオンラインで公開する」

　キメラはいわば先駆けだった。2020年には犯罪集団のメイズが同じ手をつかって企業への攻撃を開始した。グループのサーバには被害者のリストが残されており、そこにはシカゴの自動車部品販売店、マドリードの電子部品会社、ドイツのカーテン販売チェーン、英国のコンサルティング会社などの名前が書かれていた。脅しは口先だけではなかった。企業が身代金を支払わないと、実際にメールサーバの中身やドキュメントのアーカイブがサイトに流出するようになったのだ。

　このような形で情報が漏洩するのをよしとする企業はなく、また、きちんとバックアップをとっていたとしても、このタイプのゆすりには太刀打ちできない。この手口はかなり有効で、その

年のうちにダークサイド（DarkSide）、リューク、コンチ、CLOP
など、ほかの多くの犯罪集団がそれを取り入れるようになった。
二重の脅迫があたりまえになったのである。

　トロイの木馬型ランサムウェアは進化を続けている。これま
で見てきた数々の問題も、ほんの序章にすぎないのだ。

2

マルウェア全史──あのころ、現在、そして近未来

CHAPTER 3

ヒューマンエラー

これまでに経験してきたセキュリティ
上の問題はみな、技術的なものか人為
的なものかの二種類に分けることがで
きる。技術的問題だけでも手強く、解
決に時間がかかり骨も折れるが、人為
的な要因となると、人類がそこから脱
却するのはもしかしたら不可能かもし
れない。

🔒 ふたつの問題

　情報セキュリティ侵害やデータ漏洩は、つまるところ、技術的なエラーか人為的なエラーのいずれかによって引き起こされる。プログラミングのミスによって生じるオンラインサービスの脆弱性のような技術的エラーなら、正すのは難しく、時間も費用もかかるものの、曲がりなりにも修正は可能だ。バグを見つけ、直し、脆弱なシステムを全部洗い出し、アップデートすればいい。それに対して、ヒューマンエラーのほうは修正は不可能と言っていい。

　なぜなら、人は以下のような行動をとりがちだからだ。

・どのサービスにも同じパスワードを使う
・詐欺師に電話で要求され、自分のコンピュータへのリモート接続を許可する
・インターネットからダウンロードした疑わしいユーティリティを稼働させる、あるいは不必要なブラウザの拡張機能をインストールする
・必要ないときまで管理者権限でコンピュータを使用する
・送信者がどれだけ怪しいか気にすることなく、メールに添付されたファイルをなんでもかんでも開く
・オンラインにあるOffice文書を開き、指示されるままに「コンテンツを有効にする」をクリックする
・フィッシングサイトにだまされ、IDやパスワード、クレジットカード情報などを入力する

　人間の脳にパッチ［ソフトウェアの不具合やバグなどを修正するために、必要な部分のプログラムのみを更新したファイルのこと］やホットフィックス［ソフトウェアやOSに深刻な脆弱性や不具合が発見された場合に製造元から提供される修正プログラムのこと］を適用するわけにはいかない。人々の

スキルをアップデートする唯一の方法は、トレーニングだ。しかし、数十年の経験から自信をもって言わせてもらうが、トレーニングというものはことごとく失敗に終わる。メールの添付ファイルを不用意に開いてはいけないと何度ユーザーに教えたところで、どのみち彼らは開いてしまうのだ。

　企業ネットワークはこれからもヒューマンエラーに対して脆弱であり続けるだろう。ここはもう覚悟を決めて、「自分で対処しきれないユーザーに情報セキュリティの責任を負わせるべきではない」と断言してしまうほうが賢明かもしれない。現代社会にオンライン環境は必要不可欠なものになっているが、たとえば13歳に満たない子どもや高齢者が、情報セキュリティのノウハウをどこまで身につけられるだろうか？　情報セキュリティの責任は、それを負うことができないユーザーではなく、本来それを負うべきOS開発会社、ソフトウェア会社、通信事業者、そして情報セキュリティ会社に帰すのが正解ではないかと思う。

🔒「何でもやってください」

　同僚のコンサルタント、トムのクライアントには国際的な金融機関が多い。トムの専門は、自社のネットワーク環境への侵入がどれほど難しい（またはたやすい）か知りたいという企業の要請に応じ、セキュリティレベルの高度な環境に入り込んでシステムを検証することだ。システムに侵入してセキュリティをテストする場合もあれば、電子的に外部に接続しておらず高いレベルのセキュリティが保たれた環境でもリスクがゼロではないことを実証する手段として、物理的侵入を試みる場合もある。

　トムはあるとき、初めてエフセキュアのサービスを利用する銀行を担当することになった。クライアントは、自行の基幹システム、すなわちすべての顧客取引に使用されるIBM製メイン

フレームに犯罪者がアクセス可能かどうかを知りたがっていた。現在もなお、世界中の銀行がクラウドサービスではなくIBMのメインフレームでシステムを稼働させており、それらの大半にz/OS［IBMが提供するメインフレーム用のOS。1966年製のOS/360を起源とし、長年のアップデートの繰り返しにより高い信頼性を獲得している］が搭載されている。

最初のブリーフィングで、トムはITセキュリティ部門の責任者に、テストに使用していい攻撃の種類を尋ねた。すると、こんな答えが返ってきた──「ほんものの犯罪者がやりそうなことであれば、何でもやってください」。この時点で、トムは侵入が成功すると確信した。

このようなペネトレーション（侵入）テストではまず、標的に関する基本的な情報を集める。どんなタイプの組織か、どんなシステムを利用しているか、それはどこにあるか。もっとも基本的な情報は、すでにオンラインに用意されている。なかでもたいていの求人広告には、会社がどんなテクノロジーを導入しているかが、それを使える人材の募集という形で詳細に説明されている。

ほどなくしてトムは、銀行がシステムのスペシャリスト数十名を雇ったことを突き止めた。リンクトインで彼らのプロフィールに目を通すと、彼らが維持管理を担当しているメインフレームの種類があっさり判明した。次に、新しく雇われたスペシャリストたちの名前と連絡先情報を調べた。手に入れたいのは、管理者の認証情報だった。そのために、トムは偽の会社を作ってこの新チームに近づき、信じられないほど魅力的なサービスを提案した。その結果、彼らが管理者であることが明らかになった。

トムはいつも通りのプロセスに従って、どんな細かいバックグラウンド調査をされても怪しく見えないよう気を配った。完成した偽会社のウェブサイトには、標的である銀行の環境に

ぴったり適合した、メインフレームにリモートアクセス可能な製品の情報を掲載した。フルカラー印刷のパンフレットを作成し、管理者の職場宛に郵送した。封筒にはほかにデモ版「革新的なz/OSリモート・アクセス・アプリケーション」が保存されたスティック型のUSBメモリが、スローガンが印刷されたカラフルな包装紙に包まれて同封されていた。そこには、ビートルズの解散前から存在するシステムを操作するメインフレームのオペレーターが抱きがちな不満を、トムのサービスがどう解決するかが延々と書かれていた。

　ふつうのメモリースティックに見えるそのUSBメモリには、キーボード、リムーバブルドライブ、またはそれらの両方を模倣した隠しプログラムが組み込まれていた。それだけでなく、リムーバブルドライブはレッド・チーム［組織のセキュリティや攻撃に対する防御力を検証するために設置され、敵対者の立場で行動するチーム］の要求に応じて機能を変更するようプログラムされていた。USBメモリがコンピュータに接続されると、OSはそれを新しいキーボードと認識し、人がキーボードで入力するときと同じように、そこから情報を受け取るようになる。エフセキュアが細工をしたUSBメモリは、コンピュータにつながって20分後、キーロガー［キーボード操作の内容を記録するソフトウェアやハードウェアのこと］をマシンにインストールするよう超高速のコマンドを発行する。キーロガーは管理者がメインフレームにログインするのに使われるユーザー名とパスワードをすべて保存する。するとUSBメモリはシステムから消え、今度はリムーバブルドライブとして機能しはじめる。リムーバブルドライブには便利な小さいプログラムが仕込まれていて、ロガーが回収したすべてのキーボードの入力データ——パスワードも含む——を、インターネット上にあるレッド・チームのコマンド＆コントロールサーバ［サイバー犯罪者がマルウェアに指令を出したり、盗んだ情報を受け取るためのサーバ］に安全確実な方法で送ることができた。

私たちは銀行の複数の管理者に20本のUSBメモリを送った。一週間後、4本が管理者のコンピュータに接続され、せっせとパスワードを記録してくれた。首尾は上々だ。

　この時点で、こちらのミッションはほぼ達成されたかのように思えた。ところが、メインフレームに直接接続することができないではないか。実際にメインフレームにアクセスできない限り、パスワードを盗んでも意味はない。肝心のドアに近づけないなら、鍵に価値はないのだ。

　ITセキュリティの責任者は銀行のシステムは安全だと自信をもっているようだったが、その理由はすぐにわかった。最重要なシステムは、外部とまったく接続していない別のシステムから管理されているらしい。コペンハーゲン近郊の地味なオフィスビルからでなければ、メインフレームには接続できなかったのだ。

　だが、トムは意気消沈するどころか、今度はそのビルの内部に物理的に入る手立てを考えはじめた。そしてあるとき、銀行の投資家のウェブサイトで、その銀行が北欧の金融業界における今後のキャリアの可能性について話し合うイベントを開き、大学四年生を招待するというプレスリリースを見つけた。

　トムは偽のGメールアカウントを作り、四年生のキャリアパスを担当している大学の就職担当者を装って、プレスリリースに記載されていた連絡先にメールを送った。連絡をよこした大学のなかでイベントへの参加意思を伝えてきたのはトムが初めてだったそうで、銀行側は喜んでいた。

　イベント当日、スーツにネクタイ、大学の紋章がついたコートを身につけ、ブリーフケースを持ったトムは、銀行オフィスの受付近くに座っていた。十人あまりの記者や学生に混じって、エレベーター、そしてイベント会場へと案内された。やがて、北欧の金融業界に関する詳細なプレゼンテーションが始まった。あとからトムに聞いたところによると、会場で過ごした一時間は、その時点ではまちがいなく人生でいちばん退屈な時間だったと

いう。

　講演者が替わるタイミングを見計らって、トムは席を立ち、会場のうしろに立っていた係員にトイレの場所を尋ねた。トイレで個室に入り、鍵をかけて時間をつぶした。そこにいた一時間はその前の一時間よりもっと退屈だったが、スマートフォンを開いてもとがめる人がいないのが救いだった。

　ようやくイベント終了時刻となり、大学職員・トムはお役御免となった。ビジターのバッジを外し、かばんから社員証のように見えるICカードを取り出してベルトにつけると、男性用トイレから出て銀行の廊下を勝手知ったる体で歩き出した。目的をもって歩いていれば、人に疑いの目を向けられることはない。トムは誰にも怪しまれずに目星をつけていた棟に入り、うまく溶け込んだ。周りをよく見ながら、各階のどこにトイレとコーヒーマシンがあるかを確認した。初めて来る場所を探るときは、トイレがあれば隠れられるし、コーヒーマシンがあれば立ち止まっても不自然でなく、周囲を見回しながら次の動きを考えることもできる。サイバー侵入テストおよび物理的侵入という闇の魔術の訓練を積むレッド・チームのメンバーにとって、人生はトイレとコーヒーマシンの連続なのだ。

　歩いていると、オープンデスクに誰も座っていない席があった。椅子に腰かけ、ブリーフケースからコンピュータを取り出す。怪しく見えないように、堂々とふるまった。落ち着いてさりげなく行動したので、通りかかった人たちは誰ひとり、彼がそこにいてもおかしいと思わなかった。

　コンピュータをワークステーションのネットワークケーブルにつなぎ、ネットワークの認証をバイパスするスクリプトが起動するのを待った。内部ネットワークのIPアドレスを受け取り、標的のサブネットをスキャンし、そしてメインフレームを見つけた。収集した機密情報や、ほかのオフィスの新人になりすましてITサポート部門にかけた電話をもとに予測した通りの場所に、

それはあった。メインフレーム・ソフトウェアで新しいセッションウィンドウを開くと、リモート接続のポップアップが表示された。接続先のコンピュータが、トムが侵入を指示されたメインフレーム環境のユーザー名とパスワードを要求したので、うまくメインフレームに入り込めたことがわかった。キーロガーを使って手に入れていた認証情報が有効だったのだ。これでミッションは完了だ。どんな手段でアクセスしたかを証明し、外部からの攻撃者として銀行内部の聖域にたしかに侵入したことを裏づけるために、トムは時刻を記録し、スクリーンショットを撮った。

　コンピュータをしまう前に、トムはもうひとつ、あることをテストしようと思い立った。PCからメインフレームへの接続を確認したとき、10ミリ秒で応答があった。つまり、メインフレームはすぐ近くに、まさに同じビルの中にある、ということだ。そりゃそうだ。このビルからでなければ、メインフレームには接続できないのだから。メインフレームを発見し、それとともに写真に収まる自分の姿を想像して、トムはクスクス笑った。攻撃の種類は問わないと言われていたし、すでにビルの中にいるのだから、さらなる物理的侵入を試みない手はない。そうすれば、自撮り写真を最終報告書に添付できる。トムはふたたびオフィスの廊下に向かって歩み出た。

　トムは経験上、このようなメインフレームは地下に置かれているケースが多いと知っていた。そこで彼は、自分の位置を見失わないよう、非常口付近の壁に貼られている避難経路図をすべてスマートフォンで撮影しながら下に向かった。ビルの低層階に行くのはちょっと厄介だ。入るときも出るときも、内側のドアを開けるのにアクセスカードが必要になるからだ。もしこれがほかのレッド・チームのテストだったら、事前に誰かのアクセスカードをコピーしておいたはずだ。だが今回は、アクセスカードなしで入れるかをたしかめたいと思った。方法は、

ほかの人がドアを開けるのを待つこと。そのためのアプローチはふたつだ。ドアが開くのを黙って待ち、誰にも気づかれないことを期待しながらこっそり通る。あるいは、ドアに近づく人のもとに歩み寄り、さも前からの知り合いであるかのように雑談を始め、その人といっしょに中に入る。要するに、姿を隠せないなら、いっそ大胆に行動せよ、というわけだ。

　そのやり方でどうにか何フロアか下りることはできたが、幸運はそこまでだった。長い廊下に出たトムは、そこに立っているふたりの人影に気がついた。しかも悪いことに、そのうちのひとりは先ほどまで行われていたイベントの司会者で、その日の朝、トムをロビーで出迎えた人だった。踵を返そうとしたものの、時すでに遅し。トムに気がついた司会者は困惑した表情を見せた。

　「どうしたんです？　今朝のイベントにいらしていた方ですよね？　ここで何をしているんですか？　迷われたんですか？」
　「ええ、そうなんです。迷ってしまって」
　「ここは関係者以外立ち入り禁止です。受付にお連れして警備員を呼ばなければなりません」

　司会者とエレベーターを待っているあいだに、トムはこの状況に何の意味もないことに気がついた。ミッションはすでに完了しているので捕まっても問題はないし、そもそも「何でもやってください」と言われているのだ。ほんとうのことを話したほうがかえって都合がいいだろう。
　というわけで、彼は真実を話しはじめた。

　「つかぬことをお聞きしますが、あなたは偶然を信じますか？」

　司会者は遠くを見つめ、トムの方に顔を向けて答えた。「場

合に……よりますが」

「すみません、事実をお話ししていませんでした」

「と言うと?」司会者は、事情を飲み込もうとするかのように、トムを頭のてっぺんからつま先までながめた。

「私は大学の職員ではありませんし、キャリアパスの専門家でもないんです」

「え?」

「じつは私はエフセキュアの社員で、セキュリティ部門の要請でこの銀行のペネトレーションテストを実行しているんです」

司会者はわけがわからぬ様子で、少しのあいだ黙って考えていたが、やがてこう答え、立ち去った。

「すごい。それはとても楽しそうですね! では、がんばってください!」

驚くべきあっけなさに後頭部まで見開いた気がしたまぶたが戻ってくるまでの間、トムはしばしぽかんとエレベーターの脇に立ち尽くしていた。それから気を取り直し、地下に向かって進んでいくと、小さな警備デスクがあった。「電源ケーブルを忘れた」という新たな言い訳を使って、彼はガラスのゲートを通過した。通路の先のマシン・ルームに、IBMメインフレームは置かれていた。トムはその横で自撮りし、その写真をきちんと最終報告書に添付した。

🔒 CEO詐欺

CEO詐欺はビジネスメール(BEC)詐欺としても知られ、犯罪者がユーザーからお金をだまし取る典型的な手口だ。BECは「business email compromise」の頭字語で、社内メール

のトラフィックに侵入し、社員を欺く外部からのサイバー攻撃
を意味する。

　ひらたく言えば、偽の請求書を送るのと同様の手口だ。ほ
んものそっくりの偽造請求書を郵便やファックスで送りつける
詐欺は、1970年代にはすでにあった。そうした詐欺は夏に多
発した。休暇などでオフィスに人が少なくなる夏なら、経理担
当者はあちこちに訊いてまわることなく、送られてきた請求書
をすんなり支払うだろうと期待してのことだ。

　こうした詐欺は、その舞台を徐々にインターネットへと移し
ていった。まずは会社の財務担当者を見つけるのが、基本的
な手口だ。かつては代表番号に手当りしだいに電話をかけて
重要人物を特定しようとしていたが、現在はリンクトインや求
人サイトを利用して国境やことばの壁を越えた情報収集が可
能になっている。求人広告は、会社の組織構造、重要人物
の職務、使用されているテクノロジーに関する情報の宝庫な
のだ。

　ターゲットを特定したら、会社の幹部、多くは最高経営責
任者（CEO）や最高財務責任者（CFO）、あるいは取締役の名
をかたって彼らに近づく。詐欺師は前のめりな話し方や説得
力のあることばを使い、メールや電話で社員に接触する。だが、
やり方はちがえども目的は変わらない——ことば巧みに、第
三者から送られた請求書を速やかに精算する必要があると相
手に思わせたいのだ。

　CEO詐欺が成功すると、その被害額の大きさ——数千万
ドルなどというケースも珍しくない——から、よくニュースにな
る。被害に遭うのは多くが上場企業で、彼らには被害を公表
する必要があるのだ。

　そうした事件がメディアで報じられたときの、人々の反応は
似たり寄ったりだ。「会社の金を海外送金するなんて、どんな

馬鹿なんだ？」だの、「いやはや、ナイジェリア詐欺［手紙やメー
ルを使って金銭をだまし取ろうとする国際的詐欺］に引っかかる間抜けが
まだいるとは！」だの。

　だが、詐欺の被害者を笑うのはまちがいだ。それに、自分
はBEC詐欺に遭うわけがないなどと決めつけてはいけない。
なぜなら、あなたはその大がかりさをわかっていないからだ。
現代のBEC詐欺は、数名の攻撃者が数週間、数か月にわた
って攻撃を続け、きわめて巧妙に実行される。事実、グーグ
ルもフェイスブックも同じBEC詐欺に遭い、数千万ドルを失っ
ているのだ！

　その詐欺の首謀者は、リトアニア人のエバルダス・ライマソ
ースカスだ。この人物は、実際に存在するグーグルやフェイス
ブックの提携企業と同じ名前の企業をいくつも設立していた。
逮捕の決め手になったのは、ある偽会社のウェブサイトの登
録データから彼の個人用メールアドレスが見つかったことだっ
た。ライマソースカスは会社を登録した後すぐに自分のアドレ
スを偽のアドレスに置き換えていたのだが、履歴の分析により
個人データを抽出することができたのである。結局、彼の身
柄はリトアニアから米国に引き渡され、2019年に5年の懲役と
2600万ドル超の罰金の判決を受けた。犯罪によって得た
4900万ドルも返還を命じられた。犯罪が割に合うのは、捕ま
らない場合だけだ。

　どんな企業も、BEC詐欺にねらわれる可能性がある。なに
せ、エフセキュアを相手に詐欺を試みる連中がいるくらいだ。
我が社がITセキュリティ企業であることは百も承知なはずなの
に、である。そのなかでも、とある企ては群を抜いてみごとに
練り込まれていた。詐欺師は我が社のCEOになりすましてい
たが、標的は本部の財務部門の社員ではなかった。そこが彼
らの賢いところだ。たとえばCFOをターゲットにしたとしても、

フロアの反対側にいるCEOに「君の名前でおかしなメッセージが送られてきたんだが」と一言尋ねれば終わりだからだ。標的に選ばれたのは、クアラルンプールにあるアジア本部の経理部長だった。

　ことの始まりは、CEOを偽装したメールアドレスから送られた、たった一行のメッセージだ。そこには、こんなふうに書かれていた。

　こんにちは。いま時間あるかな？　10分後に電話する。それでは。

　メールを受け取った人の立場になって考えてみよう。CEOが自分に話があると言っており、ミーティングの最中だろうが、ほかの場所で忙しくしていようが、10分後ならまあ電話に出られそうだという状況を。

　はたして10分後、電話が鳴った。CEOの声のような気もするし、ちがうような気もする。無理もない。経理部長はCEOに会ったことがないのだ。電話の相手は英語を話し、単刀直入に要件を切り出した。

　「君ひとりかい？　内々に話したいんだが」

　「はい、大丈夫です」

　「よかった。よく聞いてほしい。君を会社のインサイダー・リストに入れたいと思う。そうなれば、法律によって君はこの電話の内容を誰かに話すことを禁じられる。何か質問があれば、私か、会社の顧問弁護士に連絡してくれ。いいかい？」

　「はい、わかりました」

詐欺師の計画には隙がなかった。エフセキュアは上場企業であり、すべての上場企業にはインサイダー・リスト［インサイダー取引を防ぐため、英国をはじめ上場企業に内部者リストの作成や提出を義務づけている国も存在するが、日本の場合は証券会社や取引所が企業に求めるものであり、任意である］がある。ほんとうにインサイダー・リストに加えられる場合、上記と同じような会話が実際に行われるのだ。これから会社の重要な情報を知る立場になることをターゲットに納得させるのには、ふたつの目的がある。まず、ターゲットはおいそれと誰かにアドバイスを求められなくなる。怪しい請求書の支払いをCEOに指示されたとしても、同僚に相談できないのだ。次に、自尊心をくすぐってターゲットを丸め込むことができる。彼らは自分がCEOに特別に選ばれて、秘密の情報を預けられることになったと思う。だから、同僚が好奇心からCEOが何の用事で電話をかけてきたのか尋ねても、もちろんこう答える──「悪いけど、話せないんだ。機密扱いだからね」

　詐欺師はさらに話を続け、エフセキュアはこれからある会社を買収する予定で、株価が影響を受けることが予想されるため、この情報を知らされた全員がインサイダー・リストに加えられると説明した。買収先は（案の定）中国企業で、資金の一部を中国に送金する必要がある。CEOが経理部長に電話をしたのは、中国に送金する場合、フィンランドの世界本部よりアジア本部から行うほうが簡単だからだという。もちろんこれは事実ではないが、もっともらしく聞こえた。

　企ては実にみごとに実行されたものの、失敗に終わった。なぜなら、エフセキュアは企業買収にかかわる送金を処理できる人員をあらかじめ決めており、その全員に詐欺を見抜く方法を教えていたからだ。加えて、ほんとうに自分がインサイダー・リストに載っているか、社員がいつでもチェックできる手順も定めてあった。よって、このケースの場合、経理部長はす

ぐに自分が詐欺の標的にされたことに気がついた。しかも、その後の調査のために電話も録音してあった。残念ながら、犯人は見つからなかった——いや、いまのところ、まだ見つかっていない。

🔒 企業の本社は脆弱性のデパート

　私は世界中にある数多くのクライアント企業を訪問する。業務が落ち着いていそうなタイミングで、私はしばしば、オフィスを案内し、中を少し見せてほしいとお願いする。答えはたいていイエスで、短い社内ツアーが始まる。

　ツアーはおおむね、同じような感じで進んでいく。「ここは我が社の設計部です。ここは人事部です。ここは戦略担当副社長の部屋です。ここは研究開発および製造部門です」。頃合いを見て、私は必ず経理部はどこかと尋ねる。すると、ほとんどと言っていいほど、それは本部の最上階にある。「我が社のCFOを紹介します。そして、こちらがグループの経理部長です」

　それから私は、経理部の誰が請求書の決済を担当しているか、その人に会えるかどうかを尋ねる。これまで、請求書の担当者は決まって中年の事務員だった。大企業になると担当者が複数いる場合もあるが、全員がとても人当たりのいい中年の社員だった。

　私は彼らの仕事についていくつか質問する。

「初めまして。ここでどんな業務を行っているのですか?」
「請求書の支払いです」
「なるほど。一か月に何枚くらい処理するのですか?」
「その月にもよりますが、数百枚とか、数千枚です」
「では、大きな金額を動かしているのですね?」

「ええ、一か月100万ドルくらいでしょうか」

「実務上、請求書の支払いはどのように行われるのですか?」

「オンラインバンクにログインし、スマートカードで本人認証を行い、請求書の情報を入力します」

「仕事で使用しているコンピュータを見せていただけますか?」

事務員は自分のデスクに向かい、コンピュータを指さす。たいていはデルかHP製のデスクトップで、OSはウィンドウズだが、最新版にアップデートされていることはめったにない。ブラウザはインターネット・エクスプローラーか、エッジだ。

よし、わかった。私にはもうひとつ、聞きたいことがある。

「これが会社の請求書の支払いに使用しているコンピュータなのですね?」

「その通りです」

「では、ほかのことに使っているコンピュータを見せていただけますか? ウェブサイトを見たり、フェイスブックをチェックしたり、Gメールを読んだり、ユーチューブで動画を観たりするときに使うのを」

そう言うと、相手は決まってちょっと困った表情になる。先ほど私に見せたのと同じデスクトップコンピュータを指さしてもいいのだが、それはちょっとまずい——数百万ドルもの会社の資金を送金するのと同じコンピュータで、フェイスブックをチェックしていることが明らかになるからだ。

サイバー犯罪者は企業の送金担当者のデスクトップにアクセスしたくてうずうずしている。彼らのPCが仕事に無関係な目的で利用されればされるほど、悪人の餌食になる可能性は高くなってしまう。

コンピュータは、それほど値の張るものではない。新しく買

っても数百ドルだ。請求書の担当者ひとりにつき二台ずつ購入したって大したことはないだろう。一台は請求書の処理と関連する業務専用にして、もう一台はそれ以外の目的に使用するのがよい。誤解のないよう言っておくが、私は請求書の処理に使うコンピュータをオフラインにするべきだとまですすめているわけではない。もちろん安全性は向上するが、それでは仕事にならないだろう。コンピュータを業務に必要のない活動に使用しない、あるいは請求書の決済に無関係なソフトを稼働させないだけで十分だ。

　ITセキュリティに難しい理屈はいらない。ただ、サイバー攻撃を仕掛けてくる連中をどのように妨害するか考える必要があるだけだ。

🔒 企業ネットワークを守るには?

Q：フォーチュン500企業のうち、いまハッカーの攻撃を受けている企業は何社か?
A：500社。

　企業ネットワークの規模が大きければ、必然的に脆弱性が生じ、怪しい動きは絶えず発生する。フォーチュン500［米国『フォーチュン』誌が毎年発表する、総収益上位500社のランキング。米国版とグローバル版がある］企業ともなれば世界中に10万台以上のワークステーションを保有しているわけで、これからもどこかで必ずシステムのハッキングや感染が起きるだろう。

　ハッキングを受けたからといって倒産するわけではない。セキュリティ侵害や情報漏洩によって倒産した企業は、私の知る限りほんのひと握りだ。大規模な攻撃を受けても、企業自体の立ち直りは実にスムーズに思える。だが一方で、その企業の幹部が信頼を回復することはめったになく、ハッキングが

起きたあとCEOやCIO、あるいはIT担当副社長が退職を促されるケースをたびたび目にする。

　データとシステムを攻撃者から保護するために、企業は全力を尽くしている。かつて企業ネットワークは公衆インターネットにつながっておらず、ネットワーク保護はモデムによるリモート接続およびダイヤルアップ・プールの保護が中心だった。だが今日では、どの企業も莫大な数のデバイスをインターネットにつないでいる。しかもネットに接続しているのはコンピュータだけではなく、そのことが保護をいっそう難しくしている。たとえば、プリンター、ルータ、監視カメラ、コピー機、ビデオ会議システムなどの保護までも考える必要があるのだ。

　企業ネットワーク保護の一般的なモデルはシンプルだ──ネットワークの周囲に、部外者が侵入できない壁を作って攻撃者が入れないようにすればいい。シンプルで効果的な方法のようだが、シンプルに思われるものはえてして「シンプルすぎる」場合が多い。

　企業ネットワークを保護するのに、ファイアウォールやフィルター、ゲートウェイを用いて招かれざる客を追い払えばすむのなら、そこだけに焦点を絞り込んで対策すればいい。だが、ほんとうに注視すべきは、内部ネットワークのほうである。攻撃者の排除ばかりに注力すると、内部ネットワークの監視がおろそかになりがちだ。企業はここを見落とし、失敗を犯す可能性が高い。理由は簡単で、多額の資金と労力を費やして構築した防壁が、攻撃者に突破されるかもしれないなどとは誰も想定したくないがゆえに、外部にばかり気をとられるからだ。だが、そんなときこそ、敵は外にだけいるとはかぎらないという意識を忘れてはならない。

　最初から失敗があり得ることを想定していれば、ネットワーク保護担当者の姿勢も変わるはずだ。重視するべきは壁の構築から、内部ネットワークの動向の監視へと移るだろう。ファ

イアウォールの脆弱性が顕著になるのは、社員のノートパソコンがたとえば出張で宿泊したホテルのWi-Fiからマルウェアに感染する、といった場合だ。社員は感染したパソコンをスリープ・モードに設定して帰国し、本社の正面玄関から直接、正規の手段で感染源を持ち込む。そしてパソコンを内部ネットワークに接続し、スリープ前の作業を再開する。こんなことが起きれば、ファイアウォールがあっても内部ネットワークへの不正アクセスを防ぐことはできない。

　では、いったいどうすればいいのだろうか。

1、ネットワーク・プロファイリング

　プロファイリングは内部ネットワークを監視するもっとも有効な策として定着した。ここで言うプロファイリングとは、ネットワークのトラフィックを監視して、平常時のスナップショットを作成することだ。平時の状態を把握しておけば、異常を見つけやすくなる。

　手順としてはまず、トラフィック上のデータとその性質を記録する専用のセンサーを多数ネットワークにインストールする。それらは何らかの動きを特定したり止めたりするのではなく、ただネットワークの動きを記録するだけの受動型センサーである。

　正常な状態のスナップショットを作成すると、保護システムはさまざまなテクニックを駆使して異常を発見することが可能になる。たとえば、それまで通信したことのないデバイス間でデータ送信が開始されたとしたら、それは注視する必要があるだろう。また、いつも会計データの処理を担当しているユーザーがいきなり製品開発フォルダを調べはじめた場合も注意を引く。ひとつひとつのできごとに大きな意味はないように見えても、それをもとに機械学習とスマート・アラートが適切な結果を導き出すことができる。

セキュリティ保護のためのしくみがどれもそうであるように、プロファイリングにも限界と弱点がある。センサーが記録を開始した時点でネットワークがすでに不正にアクセスされていると、そもそも判断基準が正しく構築されないのだ。センサーは攻撃者のトラフィックが存在しているネットワークを平常時の状況としてプロファイルを作成するため、アラートは出されない。

　誤認アラートが発生する可能性も大きい。あるクライアントのネットワーク・トラフィックをセンサーで数か月間追跡していたとき、アラートを受け取ったことがある。クライアントはドイツの研究開発企業だ。AIが検出した疑わしいトラフィックにフラグをつけて、社のアナリストに調査を依頼した。アナリストは不正なトラフィックが実際にあったとの結論をまとめ、クライアントに報告した。「何者かがネットワークに侵入して研究開発部門のサーバのひとつにアクセスし、数ギガバイトのデータを中国に送信した」と。データの送信は午前4時に行われていた。

　数時間後、クライアントから電話があり、私たちがまちがっていたと伝えられた。セキュリティ侵害は起きておらず、ネットワークには何の問題もなかった。中国へのデータ送信が行われたのは、クライアントと中国の顧客との重要プロジェクトの進行が予定より遅れていたため、プロジェクトマネージャーのひとりが早朝から仕事を始め、プロジェクトのデータベース・ファイルを別のサーバに移したからだという。つまり、誤認アラートだったわけだ。にもかかわらず、クライアントはエフセキュアのプロファイリングがそれを検出したことに感心してくれた。そのネットワーク・トラフィックには正当な理由があったのだが、たしかに疑わしく見えたのだ。

2、おとりネットワーク

　おとりを利用して、ネットワークへの侵入者を検出すること

も可能だ。さまざまなタイプがあるが、代表的なのはハニーポットとカナリアトークンである。

　ハニーポットは、攻撃者の興味を引きそうな情報を満載にしたコンピュータをセキュリティ保護なしでネットワーク上に設置し、おびき寄せる方法だ。一方のカナリアトークンは、かつて炭鉱夫が坑道にカナリアを持ち込んだことにその名が由来する。鳥かごのカナリアが鳴くのをやめるのは、一酸化炭素や有毒ガスで空気の質が悪いことのアラートとされた。ネットワークの世界のカナリアトークンは、外部からのアクセスを検知するとアラートを発信する。こうしたおとりは完全な受動型のものもあれば、ほんもののデバイスや攻撃者を惹きつける文書を装いながら実は偽物というタイプもある。いずれにせよ、おとりの役割は自身へのアクセスがあったときにアラートを発する、それだけだ。

　そのためには、「\\srvplatform5\documents\LT-team\Q4\mergeroffer_v7.xlsx」（経営統合の提案）のような、攻撃者の興味を引きそうな名前をつけたフォルダ構造を会社のドキュメントサーバに作成すればいい。そうしたファイルは通常なら使用されないまま置かれているものだが、ターゲットを求めてネットワークを探索する攻撃者はそれを開かずにはいられない。「\\srv_it_houston\filesrv\it\johnson\passwords.txt」（パスワード）のようなファイル名にしても同じようなことが起こるだろう。ファイルを開くだけでアラートが出るので、侵入者の早期検出に役立つ。同様に、まるっきり偽のサーバやルータ、ユーザー名をネットワーク上で作成し、アクセスが発生したときにアラートを表示させることもできる。

　カナリアトークンはプログラムコードの逆コンパイルを試みる攻撃者を特定するのにも使用され、効果をあげている。だが、逆コンパイルを難しくすることはできても、完全に防ぐのは不可能だ。そこで次善の策となるのが、誰かがコードのプロテク

トを解除した時点で開発者に通知が届くしくみだ。これは、コード内にAPIコール［API（アプリケーション・プログラミング・インターフェイス）はプログラムやサービスが外部とやり取りするための手段。APIコールとは、APIにサービスや情報の提供を依頼するのにサーバに送信されるメッセージのこと］を埋め込むことで実現できる。これらはふだんなかなか出番がないが、ハッカーならそこまでたどり着き、どうにか小細工をしようとするかもしれない。

3、散弾銃

ハニーポット文書は防衛する側にとって興味深い選択肢だ。何年か前、ラボで新しいセキュリティ機能について話していたとき、こんなふうにひらめいたのを覚えている――「エクスプロイト・コードを仕込んだハニーポット文書を作ってみるのはどうだ！」と。

それはカナリアトークンに似ているが、さらに発展させたアイデアだ。攻撃者を惹きつけるような名前をつけたPDF、ワード、エクセルの文書を、保護されたネットワークのドキュメントフォルダに入れておく。そうすれば、彼らはおもしろそうなファイルを自分のコンピュータにダウンロードし、開いてみるかもしれない。実は、その文書にはコンピュータを乗っ取る攻撃コードが含まれているのだが。

そのコードは、誰が文書を見ているかを私たちに教えてくれる。PCのカメラを使って文書を開いた人物の写真を撮る機能を追加するのもいい考えだ。過激なやり方にはちがいないが、そもそも頼まれてもいないのに文書をわざわざ開いたのは彼らのほうだ。悪いのは、ほかならぬ彼ら自身なのだ。

残念ながら、そのアイデアは実現には至らなかった。法務部門が慎重に検討した結果、リスクが大きすぎると判断されたのだ。法務部門はさまざまな類似の事例を検討していたが、そのなかのひとつに夏のガレージで起きた事件があった。何

年も前のことだが、そのガレージはしょっちゅう泥棒に入られていて、警報装置も防犯カメラも役に立たなかった。怒れる所有者はしびれを切らしたのだろう、ドアに散弾銃を取りつけて、押し入られたら自動的に発砲されるようにした。結局、所有者は故殺罪で有罪になったらしい。

4、消えゆく境界

　多くの組織において、内部ネットワークと外部ネットワークのあいだにかつて存在していた境界はあいまいになっている。内部ネットワーク以外のクラウドサービスを利用する企業が増えるほど、従来型の内部ネットワークのトラフィックは減少し、データは外部で保存や閲覧、編集されるようになる。

　典型的な大企業のネットワークは構築されて数十年がたち、ゆっくりと変化している。以前であればスタートアップは社員それぞれに専用のコンピュータを与え、ファイル共有サーバを購入したものだ。メール用には別のサーバが、チャット用にはIRCサーバが必要だった。

　だが、今日設立されている新しい企業はちがうやり方を選んでいる。社員ひとりひとりにノートパソコン——またはクロームブック——を購入し、はい終了！　ファイルはドロップボックスで共有。メールはGメール、インスタント・メッセージはスラックを利用する。ストレージはAWS、GCP［Google Cloud Platformの略で、グーグルが提供するクラウドサービス］、アジュールのいずれかを選び、開発環境にはギットハブを利用する。すべてがオンライン、そしてクラウド上で行われる。これなら設備投資は最小ですむし、ニーズの高まりに伴い、サービスもダイナミックにスケールアップすることが可能だ。いまでは物理サーバに触れた経験がない開発者や管理者もいる。彼らがそれに触ることは、今後も決してないだろう。

5、ゼロトラスト

　2010年、グーグルは前例のない規模のセキュリティ侵害にさらされた。中国のスパイがグーグルの内部ネットワークに侵入し、長期間にわたりデータを収集していたのだ。類似のスパイ事件はそれまでも起きていたが、そのことを公表した企業はグーグルが初めてだった。

　影響は広範囲に及んだ。事件をきっかけにグーグルは中国から撤退し、それ以降戻っていない。だが何より重大なのは、グーグルのネットワーク開発アプローチに起きた変化である。グーグルのエンジニアは、経営陣からサポートと資金提供を受け、現在「ビヨンドコープ（BeyondCorp）」として知られているプロジェクトに乗り出した。

　ビヨンドコープはグーグル版のゼロトラスト・モデルだ。ゼロトラスト[誰も信用しない]とは、社内外のネットワークの境界線の概念をなくしてすべてをひとつのネットワークととらえ、同時に誰ひとり100％信用することなく常にアクセスの安全性を検証し続けるセキュリティモデルである。このしくみによって、グーグルの社員は組織のリソースとサービスをいつでも、どこにいても利用できる。ユーザーは本社の会議室にいても空港のカフェにいてもいい。このやり方の中心にあるのは、IDとデバイスの管理だ。アクセスコントロール［情報やシステムへのアクセスを制限すること］は個々のユーザーおよびデバイスひとつひとつにまで細かく及んでいる。情報へのアクセス権限は、そのユーザーが誰で、どんな職務やプロジェクトに関わっているかに応じて付与される。その権限外の情報へは、何人たりともアクセスはできない。管理者がすべてを管理し、内部の人間ならすべてにアクセスできる従来のやり方はもう存在しないのだ。ビヨンドコープ・モデルは、社内サービスとまったく同じようにクラウドサービスも活用する。

　数多くの問題を解決するビヨンドコープ・モデルだが、その

反面、導入は容易ではない。グーグルでさえも数年を要したほどだ。とはいえ、私たちの知る限り、このモデルが採用されてから、グーグルをねらったハッキングは成功していない。これはなかなかの成果である。ほとんどすべての国の対外諜報機関にとって、グーグルが主要なターゲットのひとつであることはまちがいないのだから。

🔒 バグの賞金稼ぎ

ソフトウェア会社は自社製品からバグや脆弱性をなくそうと務めている。だが、それでも見逃しは必ず起きるものだ。見過ごされた脆弱性を発見する方法のひとつに、バグ報奨金制度の活用がある。

バグ報奨金制度は、システムに侵入したり、ソフトウェアをクラッキングすることを外部の人間に許可するしくみである。過激なやり方に聞こえるかもしれないが、ごく一般的な方法だ。世界最大のソフトウェア企業も長年、脆弱性の発見に報奨金を出している。たとえば、マイクロソフト、アップル、フェイスブック、グーグルなどもこの制度を導入していて、米国国防総省も同様のプログラムを実行しているのだ。

エフセキュアも10年にわたりバグ報奨金制度を設けている。我が社の報奨金制度は非常にオープンだ。どこまでオープンかって？　たったいまあなたにハッキングの許可を出せるくらいにはオープンだ。どうぞ、システムに侵入してくれ。警察にも通報しないと約束しよう。ただし、条件に従ってもらいたい。もっとも重要な条件は、もし私たちのシステムにセキュリティの穴を見つけたら報告してほしい、というものだ。その見返りとして、私たちはあなたに報奨金を支払う。

バグ報奨金制度を導入するのは、エフセキュアのシステムが標的にされているという自覚があるからだ。我が社には敵が

多い。私たちのクライアントの多くは、外国の諜報機関の標的になっている。だから、我が社のソフトウェアに脆弱性を見つけたら、ほかの誰でもなく私たちに報告してほしい。購入希望者が列をなしていることだろうが、第三者に売るくらいなら、ぜひとも私たちに売ってほしいのだ。

　要するに、脆弱性はコモディティ化したのである。企業が報奨金を出さなければ、それを見つけた者はほかの人に売ろうと考えるだろう。

　たとえば、ゼロディウムという企業は、ウィンドウズ、アンドロイド、iOS、Mac OS、ワッツアップ、クローム、アウトルック、Office、シグナル、テレグラム、およびさまざまなITセキュリティ・ソフトウェアの未知の脆弱性に支払う懸賞金のリストをウェブサイトに掲載している。その金額は10万ドルから250万ドル。ただし、高額の懸賞金は、対象となるシステムに検知されることなしに成功するような、とても高度な侵入のみに支払われる。

　ゼロディウムのような企業は脆弱性の情報を買い取って販売するのだが、その相手の多くは政府機関だ。セキュリティホールを犯罪者に売れば、もっと高値で売れるかもしれない。だが、幸いにして、ほとんどの賞金稼ぎは発見した脆弱性を攻撃者に販売する気はない。たとえ報奨金がゼロディウムや犯罪者の提示する金額より低くても、彼らの多くはセキュリティホールをもつ企業に直接売ることを好む。とはいえ、脆弱性が見つかった企業がお金を払わないとなれば、もっとうまみのありそうな話に乗るかもしれない。そのため、攻撃者にねらわれている企業にとって、バグ報奨金はなくてはならないしくみなのだ。

　なかには、バグ報奨金で生計を立てるITセキュリティ研究者もいる。だが、彼らの大半にとってはバグの発見はただの趣味かわずかな副収入源、あるいは技術に磨きをかける方法でしかない。エフセキュアが通常払うバグ報奨金の額は、数

百ドルから数千ドルほどだ。

　ハッカーワンという、企業に代わってバグ報奨金制度の運営を代行し、さまざまなスキルをもつホワイトハッカーと企業をつなぐクラウドソーシングのプラットフォームを展開している会社もある。脆弱性を発見した人たちに、10年間で9000万ドルを上回る報奨金が支払われている。同社のプラットフォームを利用して100万ドル以上稼いだ人は六人いるという。一回の報奨金の最高額は10万ドルを超える。

　バグ報奨金制度を正しく機能させるには、成熟した規律正しい組織でなければならない。この制度は、セキュリティホールをなくす近道ではないのだ。まずは組織が自ら明らかな脆弱性をすべて見つけ、修正してはじめて、バグ報奨金を導入する意味がある。新しいプログラムを採用すると、とくにはじめのうちは、修正が必要なバグに関する膨大な数のレポートが生成される可能性がある。バグ報奨金は、初期対応に追われる組織のプログラマーやテスト担当者をさらに長期間フル稼働させることになるかもしれない。

　私が考えるバグ報奨金の最大のメリットは、企業の脆弱性を合法的に探れることだ。教育機関や大学を訪れると、ハッキング的なことをしてみたくてうずうずしている若者にたびたび出会う。彼らに向かって、「よかったら、アップルとかテスラをハッキングしてごらん。合法的だし、会社にも許可されているし、お金までもらえるんだ。ルールを守って、へまさえしなければね」と堂々と言えるというのはすごく愉快だ。

　では、たとえばどんなものが脆弱性と呼べるのだろうか。

1、「コンテンツの有効化」

　マイクロソフトのOffice製品のセキュリティ機能を見れば、攻撃者がどのようにして攻撃するのにいちばん楽な道を選ぶか

がよくわかる。

Office製品はユーザーの手でプログラムすることが可能だ。使用されているプログラミング言語は、ビジュアル・ベーシックの方言であるビジュアル・ベーシック・フォー・アプリケーションズ（Visual Basic for Applications ＝ VBA）。VBAは1993年に初めてマイクロソフト・エクセル5.0に搭載され、その後すべてのOfficeアプリケーション（ワード、パワーポイント、プロジェクト、アクセスなど）に内蔵された。

一般的なOfficeアプリケーションはマクロ機能を使ってプログラムできる。もっともシンプルな形だと、ショートカットキーを設定してマクロで会社の住所を文書に追加することができる。あるいは、マクロを使って会計システムまるごとをひとつのエクセル文書に組み込むことも可能だ。

例によって、テクノロジーが利用される目的には、よいものもあれば悪いものもある。マクロウイルスが最初に発見されたのは1995年だ。ワード文書に感染が広がり、ユーザーが文書を作成または編集するたびにウイルスは自己複製を行った。ウイルスが仕掛けられているとも知らず、ユーザーは感染した文書を共有し、コンピュータからコンピュータへとウイルスを拡散させた。ワードがウイルスに感染すると、それを利用して作成・編集されるファイルが次々に感染していった。

マクロウイルスのなかには1999年のメリッサのように自らをメールによってどんどん拡散させるものもあったが、ほとんどのウイルスはユーザーが文書を共有したことで世界中に広まった。データ形式のなかでも、ユーザーが共有することがもっとも多いのが文書である。実際のところ、一般的なオフィスワーカーは文書を読み、書き、作成することに一日の大半を費やしている。そのため、文書はマルウェアの拡散にとってきわめて有効な手段になるのだ。

結局、マクロウイルスは世界で最大級のマルウェア被害をも

たらし、マイクロソフトが対策に乗り出した。講じられた解決策は、きわめて厳しいものだった。VBAマクロが自動的に実行されないように、ソフトの標準設定を変更したのだ。Office2000は引き続きマクロをサポートしたが、ユーザーがマクロを含む文書を開こうとするだけでも実行がブロックされた。実行するためには、ツールバーの「コンテンツを有効にする」をクリックしなければならなくなった。

　これはマイクロソフトにとって苦渋の選択だったにちがいない。開発に長い時間を要したVBAが実質的にもう使えないということになったからである。しかしながら、情報セキュリティの観点からすると、この大胆な変更の結果、Office製品を標的にしたマクロウイルスは全滅した。一年もしないうちに、マクロウイルスはその時点で広く拡散しているウイルスのリストから姿を消したのだ。

　すると、マクロウイルスを主要な武器にしていた攻撃者たちは、もっと簡単にユーザーのコンピュータに侵入できるルートを探しはじめた。そして生まれたのが、エクスプロイト・キットである。これは、フラッシュやジャバの脆弱性をねらってウェブサイト経由でコンピュータにアクセスするシステムだ。数年後、フラッシュとジャバの開発元であるアドビとオラクルは、それまでの経験をもとにシステムのセキュリティを強化した。

　ちょっと意外だったのは、2017年ころから攻撃者がふたたびOffice製品のマクロをねらうようになったことだ。ハッカーは常に楽な道を選ぶ──マクロを利用した攻撃はたしかに難しくなったが、ほかのシステムも同じように攻撃しにくくなった。要するに、コンピュータに侵入するには結局マクロがいちばん簡単という結論に至ったわけだ。それに、ユーザーに何らかの理由でマクロを有効化する必要があると思わせることができれば、そこに付け込む隙がある。

　現在のOfficeでは、マルウェアが仕込まれたワードまたはエ

クセル文書を開いた場合、ユーザーはその内容を見ることは
できても、害を及ぼす可能性のあるコンテンツ、すなわちマク
ロは起動しない。起動させたければ、「コンテンツを有効にす
る」をクリックしなければならない。マイクロソフトはユーザー
にとって面倒な手間を増やし、マルウェアの含まれたファイル
を不用意に開けないようにしたわけだが、それでも、うまく誘
導すればユーザーは「コンテンツを有効にしなければならな
い」と思うかもしれない。たとえば、偽のエラー表示が出たと
したらどうだろう。「お使いのワードのバージョンはサービスを
終了しました。文書を表示することができません。内容を表示
するには『コンテンツを有効にする』をクリックしてください」
とか、「この文書には機密情報が含まれています。セキュリテ
ィ上の理由により、コンテンツは暗号化されています。暗号化
を解除するには、『コンテンツを有効にする』をクリックしてく
ださい」といったように。

　念のため言っておくと、Office製品には「編集を有効にす
る」という機能があるが、これは「コンテンツを有効にする」
とはちがう機能である。後者をクリックすればマクロが実行さ
れるが、前者では実行されない。

　私はOffice製品の担当者を含め、マイクロソフトの多くの
社員を知っている。彼らには何度も、「コンテンツを有効にす
る」ボタンの名称を変えたほうがいいとアドバイスしてきた。
「システムを感染させる」にでもすれば、誰も軽い気持ちでクリ
ックしなくなるのではないだろうか。

2、バグはなぜ生まれるのか

　マイクロソフトやアップルはなぜ、セキュリティホールのない
OSを作ることができないのだろうか？　もっともな疑問だし、
私もそう聞かれることがたびたびあるが、残念ながら、それは
不可能だと言わざるを得ない。

ソフトウェアにつきもののセキュリティホール、つまり脆弱性を解決する魔法は存在しない。脆弱性とは、つまるところコードである。それを書くプログラマーは人間であり、人間とはミスを犯す生き物なのだ。

　プログラミングのエラー、すなわちバグは昔から脆弱性の原因だったわけではない。そもそも、ネットワーク、つまりインターネットに接続するシステムに関係するバグでなければ脆弱性が問題になることはないのだ。システムがオンラインになる前は、セキュリティの問題はめったに大事にならなかった。実際にそのコンピュータを操作できない限り、攻撃者も脆弱性につけ込むことができなかったからだ。物理的なアクセスが可能になってしまえば、悪意ある攻撃者がデバイス内のデータにアクセスする方法はいくらでもある。

　バグを作るのは簡単だ。数千行のコードにちょっとしたタイプミスがあったり、文字を追加したりするだけでもバグになる。その結果、一見何の問題もなく機能しそうでも、特定の状況下でクラッシュするアプリケーションや、外部の人間がシステムにアクセスするのに利用できるセキュリティホールを内包したアプリケーションが作られる。

　読者のなかには、90年代初期のウィンドウズがどんなものだったか、覚えている人もいるだろう。見る限りでは、ウィンドウズ3.0も3.1もいまの最新版にかなり近いものだった。ユーザーインターフェイスも当時のものと最新版とでほとんど差がない。ワードとエクセルは30年間でほとんど変化していないのだ。ただし、大きなちがいは、ウィンドウズ3.0にはウェブブラウザがなかったことだ。ウィンドウズ3.0はインターネットに対応していなかったので、ブラウザが必要なかったのだ。箱から出してすぐにインターネットに接続できたのは、1995年に発売されたウィンドウズ95が最初だ。

　昔のウィンドウズにいかにバグが多かったかを思い出す人も

多いだろう。たとえばワードはしょっちゅうクラッシュしていた。とはいえ、1992年の時点では、それは大きな問題ではなかった。ワードを再起動し、保存していたテキストの最新版を読み込んで作業を続ければいいだけだったからだ。ところが最近では、そうしたバグはセキュリティホールになる危険がある。かつてはソフトウェアやOSをクラッシュさせるだけだったが、バグはいまでは攻撃者の侵入経路になりかねない。

この数十年のあいだにプログラムが非常に巨大化したことで、ミスは避けられないものになった。ウィンドウズを構成するソースコード・リポジトリには570万ものファイルが含まれている──そう、驚きの数字だ。しかもそれはコードの行数ではなく、ファイルの数なのだ。各ファイルのコード行数が数万にものぼることを考えると、総行数は天文学的なものである。

もうひとつのよい例がPDFファイルフォーマットだ。1993年にアドビが開発したPDFは、2008年にISO［国際標準化機構］標準として承認された。PDFは単なる文書ファイルではなく、実は任意のタイプのメディアの埋め込みやプログラムの実行まで可能なマルチプラットフォームであり、その詳細な仕様書はISOから購入できる。200ドルで、ファイル形式はもちろんPDFだ。ページ数は962。読むのに一週間はかかるだろう。

こうした複雑さはセキュリティの敵だ。システムが複雑になればなるほど、含まれるコードの数は増え、そこに潜むバグの数も増える。

バグのなかには、理論上の可能性を開発者が見落としていたバグもある。2021年、フェイスブックユーザー5億3300万人分もの膨大な電話番号リストがウェブに公開された。フェイスブックはただちに声明を発表し、重要なのは電話番号がハッキングではなくスクレイピング［ウェブサイトなどからデータを抽出する技術］によって盗まれたことだ、と述べた。システムのセキュリティが破られたわけではなく、攻撃者がうまく情報を引き出し

たのだ、というわけだ。攻撃者はフェイスブックの「友達」を見つける機能を悪用し、地球上に存在するあらゆる電話番号のリストとフェイスブックのユーザーのデータを照合するという巧みな手口で情報を抽出した。その結果、政治家や有名人、元パートナーによる虐待から身を隠す人たちを含む、多数の電話番号がネット上にさらされてしまった。

　脆弱性はシステム内のバグから生まれる。バグはミスを犯すプログラマーが生み出すものだ。プログラマーがミスをするのは彼らが人間だからである。したがって、解決策は明白だ。プログラマーを機械にすればいいのだ！
　冗談を言っているのではない。私たちが人間より優れたプログラミング能力をもつコンピュータ・ソフトを開発する時代は、きっとやってくる。

3、もっとも安全なOSとは？

　それにしても、なぜマイクロソフトは安全なウィンドウズを作ることができないのだろう？　もっとよいバージョンができれば、安全性の問題は解決するかもしれないではないか。
　私たちのコンピュータで稼働しているウィンドウズは、何でもこなし、誰が作成したソフトウェアも動作するように作られた、大規模なシステムだ。広範囲に及ぶハードウェアの組み合わせをサポートし、時代遅れのアプリケーションにも対応していることでも知られている。1996年に書かれたコモドール64のエミュレーター［ある特定のハードやOS向けに開発されたソフトを、異なる環境で擬似的に実行させるためのソフトウェア］はもともとウィンドウズ95用に作成されたものだが、いまも私のコンピュータにインストールされている。25年以上前のソフトウェアでも、64ビット・ウィンドウズ10で何の問題もなく動いている。
　ウィンドウズのサイズを知れば、その大きさがつかめるだろう。

3

ヒューマンエラー

インストールしたばかりの「Windows」フォルダに収められた
ファイルおよびポインタの数は8万4000を超え、ハードドライ
ブの容量の14ギガバイト以上を占める。バグが生まれる余地
がたっぷりあるわけだ。

　では、特定のハードウェアひとつだけに対応し、承認・検
証済みのソフトウェアだけを動作させることができるウィンド
ウズがあったらどうなるだろうか？　サイズはぐんと小さくなり、
安全性も向上するのでは？　そんなOSは……実在する。エッ
クスボックスの中に。

　マイクロソフトが開発したエックスボックス・ワンとエックス
ボックス・シリーズXは、スマートフォンと同じセキュリティレベ
ルのウィンドウズを搭載したゲーム機だ。エックスボックスにイ
ンストールできるのは、マイクロソフトの承認を受けた開発者
が製作した検証済みのソフトウェアだけが販売を許可されるア
プリストアから購入したソフトのみ。つまり、世界最大のソフト
ウェア・プロバイダーから提供されるもっとも安全なOSが、
ゲーム機の中にあるのだ！

4、ソフトウェアの保護

　プログラマーならば、他者が書いたソフトウェアであっても
それがどの言語でどのように書かれたかわかるものだ。パイソ
ン（Python）やジャバスクリプト（JavaScript）などのインタープリ
タ言語はプログラミング言語の命令を一行ずつ機械語に翻訳
しながら同時に解釈して実行することが可能である。そのため、
作成されたものを見ればソースコードは容易に解読できる。
一方、C++やスイフト（Swift）のようなコンパイラ言語では、
事前にすべてのソースコードを一括で機械語に翻訳するため、
リバースエンジニアリング、または実行時解析によってそれを割
り出すことになる。

　プログラマーは時折さらに踏み込んで、分析や理解が難し

いコードを作成する。典型的なのがマルウェアやコピープロテクト、オンラインゲームのアンチチート機能だ。

マルウェアのコーダーやウイルス作成者は、セキュリティ企業と終わりなき戦いを続けている。彼らは可能な限り複雑かつ難解なコードを作り、セキュリティの手をわずらわせようとする。

市販ソフトの違法コピーはソフトウェア会社の収益を侵食する。これを防ごうと、ソフトウェアの開発者はさまざまなコピープロテクトの方法を考案してきた。それに対し、クラッカー、すなわちセキュリティの裏をかこうともくろむ人間は、多くの時間と労力を費やしてでも、プロテクトを分析し解除しようと試みてきた。

オンラインゲーム全盛のいま、ゲームは単なる娯楽ではなく、重要なビジネスである。オンラインゲームにおける「チート」はゲームに参加する多くの人たちの楽しみを奪うばかりか、チートをする者が大会で勝利して賞金を手に入れてしまうといった経済的な利益の不当な獲得にもつながる。最近のPCゲームには、プレー中にゲームのオペレーションを分析し、プログラムの改ざんを図ろうとする行為を識別するためだけに機能するドライバが組み込まれているものがある。これらの保護システム内のコードは、入念に難読化されている。

チートのきわめつけは、2019年にSpeedi13と名乗るプログラマーが公開したマルチプレイ・オンラインゲーム「カウンターストライク」のチートソフトだ。詳しく説明すると、どんなチート防止システムを採用していても関係なく動作するチート用のコンパイラをリリースしたのだ。

こうしたゲームに利用されているアンチチート技術のひとつに、ゲームの割り当てられたメモリが上書きされたり修正されたりするのを防止するものがある。だが、Speedi13が作ったリターン指向プログラミング（ROP）コンパイラは、新しいプログラム

コードを作らないようにしながらチートをコンパイルする。まるで小さなパズルのピースからなるゲームのコードを実行するように、コンピュータのメモリにすでに存在する小さいコード片からプログラムを生成するというのがそのエクスプロイト手法なのだ。ROPコンパイラは目的に合ったコード片を見つける。これらのコード片が正しい順番で実行されると、その結果まったく新しいソフトウェア・アプリケーションになる。この場合、それはたとえばプレイヤーに壁の向こう側が透けて見えるチートだったりするのだ。

　こうしたチートを開発するのには、想像を絶するほどの労力が必要になる。ゲームを純粋に楽しむ人がいれば、そのプロテクトを破ることに喜びを感じる人もいる、ということだろう。とはいえ、ゲームが一大ビジネスである以上、むべなるかな。人がゲームに使う金額は、音楽と映画を合わせた額を上回るのだ。

🔒 利用規約は誰も読んでいない

Q：インターネット上でいちばんよく見かける嘘は何？
A：「利用規約を読み、同意します」のことば。ほとんどすべてのアプリケーションやサービスは、ユーザーに難解な法律用語を理解するよう求めてくる。実際のところ、それを読む人なんていないのに。

　数年前に、私たちはこんな実験をした。ロンドンの中心部、ピカデリー・サーカスのような場所にエフセキュアのWi-Fiホットスポットを設置して、数日間稼働させた。ユーザーは利用規約に同意すればそのネットワークを無料で利用できる。複雑な法律用語がすべて大文字で書かれた4ページにわたるその文書は、ぱっと見る限りいかにも典型的な利用規約だった。

本規約はエフセキュア（以下、「当社」という）により提供されるサービス（以下、「本サービス」という）の利用に関して適用されます。利用者が本サービスを利用した場合、本規約に同意されたものとみなします。本規約に同意しない場合は、本サービスを利用することはできません。当社は、通知の有無にかかわらず、本サービス（または本サービスの機能もしくは特徴、またはその一部）を一時的または永続的に、いつでも変更または中止する権利を有します。利用者は、本サービスのかかる変更、一時停止、または中止について、当社が利用者または第三者に対しても責任を負わないことに同意するものとします。利用者が本規約に同意し、遵守することを条件として、本サービスを利用するための非独占的かつ譲渡不能な制限付きライセンスを利用者に付与します。本サービスは（とくに明記された場合を除き）利用者の使用目的にのみ提供され、利用者は本サービスへの加入または会員資格、本サービスのいかなる部分、本サービスの使用または本サービスへのアクセスを、いかなる商業目的でも複製、複写、販売、譲渡、再販または利用を行わないことに同意するものとします。

ただし、その利用規約には最後に例外的な条件が含まれていた。

本サービスの利用にあたって、利用者は、当社が必要とする場合に、利用者の第一子を当社に譲渡する

> ことに同意するものとします。子どもが生まれない場
> 合は、利用者の最愛のペットを代わりに譲渡するこ
> ととします。本規約の有効期間は永遠とします。

　その結果、何百人という人たちが、子どもに対する権利を
放棄することに「同意」し、エフセキュアのWi-Fiを利用した。
この結果に特段驚きはしなかったが、我が社の言わんとするこ
とを伝えるために、数人に対してこの条項を実行に移したほう
がいいのではないかという意見も社内では出ていた。アイデア
としてはおもしろいかもしれないが、それはやめておくことにした。

🔒 ヒューマンエラー一問一答

　脆弱性をもたらすのが人間の行動であるとするなら、私たち
はセキュリティの問題にどう立ち向かえばいいのか、とよく尋ね
られる。いくつかのパターンについて、模範的な対処法をまと
めた。

Q：職場の廊下である人を見かけた。初めて見る顔だ。スー
ツを着ていて、感じがよさそうだ。だがその人物は規則で必要
とされるアクセスカードを首から下げていなかった。呼び止めて
身元を確認するべきだったろうか？　そんなことをするのは、ば
つが悪い気がした。見て見ぬふりをしておけば、誰か他に気
づいた人がやるんじゃないか？　それがいいような気がする。

A：このような状況に遭遇したら、自分が正しい行動をとれる
かテストされていると考えよう。廊下で会った人は、アクセス
カードを持たない部外者の侵入が気づかれるかどうかを調べ
るために雇われた、ITセキュリティ会社のコンサルタントの可

能性がある。そこで声をかけなければ、あなたは職務怠慢で罰せられるかもしれない。毅然とした態度で、その人物にアクセスカードを持っているか尋ねるのが最善の対処法だ。カードをなくしたと言われたら、警備員のいる受付に案内し、入館証を申請してもらう。警備員がことの真相を突き止めてくれるだろう。

Q：クライアント企業の担当者からメールを受け取った。メッセージはどこか不自然で、ファイルが添付されていた。メッセージの内容も理解できないのに、それでも添付ファイルを開くべきだろうか？ おかしな人だと思われたくないので、クライアントに電話して聞くのは気が進まない。

A：添付ファイルを開いてはいけない。インスタント・メッセージかテキストメッセージを利用してクライアントに連絡しよう。送られてきたメールに返信してはいけない。攻撃者のもとに届く可能性があるからだ。「こんにちは。メールを受信しました。本日中に返信します！」のようなテキストメッセージを、クライアントに送るといい。あなたが受け取ったメールがほんものなら、クライアントは迅速な返信に満足するはずだ。そうではなく、メールによって攻撃が試みられたか、なりすましメールだったとしたら、クライアントはあなたが何の話をしているのか理解できず、何らかの連絡をよこすだろう。答えはすぐにわかる。一件落着というわけだ。

Q：どんな方法で個人のファイルをバックアップするべきか？

A：職場では、会社のIT部門が中心となってバックアップを管理してくれるだろう。彼らに任せておけばいい。ただし、自宅の場合、ホームコンピュータや個人のデバイスのバックアップ

は、自分で管理するしかない。重要なのは、頻繁にバックアップをとることと、万が一火事になってもバックアップから復元できるようにしておくことだ。クラウドにバックアップを保存しておくか、ホットスワップ［活線挿抜。機器の電源が入った状態でケーブルや周辺機器の着脱を行うこと］可能なハードドライブを2台利用しよう。そして、ふたつめのハードドライブは、たとえば実家や職場など、守りたいデータのある自宅とは別の場所に置いておこう。

Q：キャッシュカードが盗まれやしないかと心配だ。盗られないようにするにはどうすればいい?

A：黒のペンで、カードにこう書いておく ── 「暗証番号3973」。ただし、書くのは正しい暗証番号であってはいけない。泥棒がまちがった暗証番号を何度か試しているうちに、カードは使用できなくなる。

Q：キャッシュカードの暗証番号をいつも忘れてしまう。どうすればいい?

A：『フレンズ』［米国NBCで1994〜2004年に放送されたテレビドラマ］のジョーイと同じやり方をしよう。いちばんよく利用するATMに行き、機械にペンで暗証番号を書いておくのだ。必要になったら、そこに行けば簡単に確認できる。

Q：車に最新のナビを入れている。セキュリティの観点から、考えるべきことはあるか?

A：ナビに自宅の住所を登録する人は多い。だが、これはやめておくべきだ。自宅までの最短ルートを表示するには、ナビに住所を登録しておくほうが便利ではある。だが、もし車が盗

まれた場合、あなたは泥棒に住んでいる場所まで知られたい
だろうか？ 自宅近くの店など、どこか別の場所の住所を入力
しよう。そこまで行けば、ナビなしでも家に戻れるだろう。

🔒 スタートアップ必見・セキュリティ十一訓

　IT企業でなくても、ほぼすべてのスタートアップ企業はコー
ドを書く。あなたやあなたの生まれたばかりのスタートアップが
よくあるセキュリティの落とし穴を避けるのに役立つアドバイス
をしておこう。

1、スピードはセキュリティの敵と心得よう

　短期間で迅速に開発や展開を進めるほど、バグチェック、
品質保証、テストにかける時間は減る。セキュリティは既製品
に追加できるようなものではなく、設計段階から構築していか
なければならないのだ。

2、すでにあるものを自分で作ろうとしない

　時間を節約し安全性を高める、正当性が証明された信頼で
きる原則というものがある。暗号やハッシュ・アルゴリズムな
どは決して自分で開発しないこと。とにかくやめておこう。

3、クラウドを信頼しよう

　今日、スタートアップの大半はAWSやアジュール、GCPな
どのクラウドサービスを利用するが、これはセキュリティの観
点からも正しい選択だ。アマゾン、マイクロソフト、そしてグー
グルはセキュリティに数億ドルの資金を投じている。それだけ、
最大のクラウド・プロバイダーのサーバに侵入するのは難しい
ということだ。

4、……ただし、クラウドは正しく利用すること

　クラウドサーバやクラウドストレージでいちばんやりがちな失敗は、認証情報の流出である。いずれのクラウドサービスを利用する場合も、開発担当者には強力かつ独自のパスワードを設定するよう徹底すべきだ。いや、それより開発担当者にパスワード管理ソフトを使わせるほうが簡単だ。それから、秘密のAPIキーをギットハブにアップしたり、AWSのアクセスキーをペーストビン（Pastebin）［テキストデータを保存・公開することができるウェブ・アプリケーションサービス］に貼りつけたりするリスクを社員全員に理解させよう。

　パスワードの話が出たところで……

5、全員のモバイル端末を常にロックをかける設定にしよう

　顔認証や指紋認証はよい方法だ。そして、可能な場合は必ずユーザーに二段階認証を有効にさせよう。テキストメッセージを使用する二段階認証でもいいが、もっとおすすめなのが、認証システムアプリだ。高度なものもあるが、正直なところ、グーグル認証アプリで十分。また、理由もないのにユーザーに定期的なパスワード変更を強いてはいけない。

6、Macを手に入れよう

　スタートアップの集まるイベントに行くと、みんなMacBookを使っているように思える。Macのセキュリティはすばらしいが、ほとんどの人がMacを持っている理由は、おそらくそれではないだろう。安全性で言えば、Mac OSは多くの点でウィンドウズ10に劣る。しかし、Macの市場シェアは10％前後で推移しており、組織化されたサイバー犯罪集団の大半がウィンドウズの専門知識を有していることもあって、犯罪者はいつもウィンドウズに注目している。Macをねらった攻撃のほうがはるかに少ない理由はそこにある。覚えておこう──Macユーザーもウ

ィンドウズユーザーと同じように易々とフィッシング詐欺に引っかかる。iPhoneとアンドロイドのユーザーはもっとだまされやすい。セキュリティガードの数が少なく、ほんものそっくりの偽URLを見分けるのは、小さい画面のほうが難しいからだ。

7、バックアップをとろう

ランサムウェアはいまも最大の問題のひとつだ。最新のバックアップデータをとっていれば、ランサムウェア攻撃からの復旧は容易になるだろう。攻撃を受けたときにデータを復元できなくなる企業の数は意外に多い。オンライン上にあるバックアップが攻撃者によって削除されたり暗号化されたりするからだ。だから、クラウドやタイムマシン（Time Machine）［Macに標準で搭載されているバックアップ機能］だけでは不十分だ。会社のビルが火事になっても残るような、オフラインのバックアップを常に用意しておこう。

8、パッチを適用しよう

アップデートを促されるのはわずらわしいものだが、アップデートはたいてい主にセキュリティ上の理由で行われる。だから、OSはきちんとアップデートしよう。ソフトウェアのアップデートをしよう。アプリのアップデートをしよう。何をわかりきったことを、と思うかもしれないが、アップデートは意外な理由で失敗する可能性がある。私が最近仕事をしたある大学はネットワークがハッキングされたのだが、その原因は最新版を稼働させていなかったリモートアクセスサーバの脆弱性だった。管理者はすべてのサーバの自動更新を有効にしていたのに。何がうまくいかなかったのだろう？　サーバのハードドライブがいっぱいで、パッチをダウンロードするスペースがなかったのだ。それによりアップデートが展開されず、ハッキングを受ける結果になった。

9、人の移動に備えよう

　スタートアップのような変化の速い環境は、人の出入りが頻繁だ。社員がアクセス権をもったまま退職しないように注意を払わなければならない。あなたがレポジトリやクラウドシステムから社員をロックアウトできるようにしておくといいだろう。必要に応じてあなたがパスワードやアクセス権を変更できるようにもしよう。会社のSNSアカウントと同じパスワードを使っていると、とくに痛い目に遭いやすい。秘密情報の共有にはパスワード管理ソフトを使用し、アクセス権をもつ人が会社を辞めるときは、社の公式アカウントのパスワードの変更を義務づけよう。

10、ビジネスメール詐欺に気をつけろ

　スタートアップでも、CEO詐欺とも呼ばれるこれらの攻撃を受ける。会社のお金を動かす立場にある社員を把握し、その人たちがBEC詐欺の最新の手口を理解しているか目を光らせよう。以前の偽請求書詐欺に比べ、いまのBEC詐欺ははるかに複雑になっている。

11、ダブルチェックすべし

　十一番目のアドバイスは、開発担当者がありがちなセキュリティの脆弱性を特定し、修正できるようにすること。それから、アプリのセキュリティをテストしたほうがいい。また、ネットワークのペネトレーションテストを依頼し、コード監査を受けよう。それらの安全が確認されたら、今度は、あなたの会社がスタートアップとはいえ信頼に足るのだということを顧客に納得させなければならない。ひとつアドバイスするなら、経験豊富なアドバイザーを雇い、セキュリティプロセスを検証し、必要に応じてあなたの会社の信頼度を保証してもらうといい。

🔒 ボート売ります

　近所に住むレオが私を見かけてアドバイスを求めてきた。

　レオは古いボートをオンラインで売りに出した。広告を掲載するとすぐに、ある人が興味を示して連絡をくれた。ボートはフィンランドにあって、広告もフィンランド語で出したにもかかわらず、驚いたことに、その買い手——デイビッドと名乗った——はスイスに住んでいた。デイビッドはずっとこんなボートを探していて、すぐにでも買いたいそうだ。レオが提示した価格に加え、ジュネーブへの輸送費用も支払うという。

　やった！　最初のうち、ボートがこんなに早く売れたことに興奮していたレオだったが、たちまち頭のなかで警報のベルが鳴り出した。売りに出したのはまったくもってごくふつうの、船体がアルミ製の釣り船で、2000〜3000ドル手に入ればいいほうだと思っていた。スイス在住の人がわざわざ興味をもったのはどういうわけなのか？　隠れたねらいがあるのでは？　そのねらいとは何だ？　取引すべきか、断るべきか？

　私はレオに残念なお知らせをしなければならなかった。「デイビッド」なる人物は実在せず、メッセージもスイスから送られたものではない、と。それは詐欺だった。この詐欺はうまくできていて、詐欺師は売られている品物を盗むわけではない。デイビッドはいないし、レオのボートには何の興味もない。重要なのはそれに金銭的価値があり、大きくて重量があり、別の国に貨物として運ぶ必要があることだった。

　詐欺がうまくいっていたら、デイビッドは取引をまとめ、ペイパルで送金するとレオに約束し、「ヘルシンキからジュネーブにボートを運んだ経験のある運送業者を自分が見つける」と言ったはずだ。目的に合った会社はすぐに見つかり、デイビッドはレオにメッセージをよこし、「『インターナショナル・ロジスティクス社』が貨物の集荷のことで連絡してくる」と伝える。運

送料は900ユーロ。デイビッドはレオにボートの代金と運送料を支払うことになっている。レオはそのお金で運送業者に支払いをすればいい。

　ほどなくしてインターナショナル・ロジスティクス社から連絡がある。実務上の取り決めに加えて、彼らは運送料の振込口座を指定する。支払いが済むと、レオのもとにはインターナショナル・ロジスティクス社からも、デイビッドからも二度と連絡は来ない。そして、レオはデイビッドからの前金の支払いが取り消されていたことを知る。そのお金が盗まれたペイパルアカウントから送金されたものだったからだ。ペイパルには不正利用による取引をすべて取り消すポリシーがある。レオは実在しない運送会社に900ユーロを支払いながら、裏庭にボートが残されたままになるところだった。

　もしあなたが「話がうますぎて信じられない」と思うなら、その直感は正しい。ネット上の話なら、なおのことそうだ。

CHAPTER 4

スマート社会は
穴だらけ

インターネットは実にみごとに機能している。だが、そうはいっても万能ではない。いまやインターネットは生活に不可欠なインフラになりつつあり、信頼性がますます重要になっているにもかかわらず。

🔒 情報ネットワークに依存する社会

　偉大な発明は世界を変えてしまう。便利なものが発明されると、人はそれなしでは生活できなくなる。新奇なテクノロジーも、生活のなかに溶け込むや、なくてはならないものになるのだ。

　電力ネットワークがよい例だ。電気のない現代生活は想像できないが、そのインフラが整備されたのはそう昔のことではない。世界で初めて都市全体に電力が供給されたのは1870年代で、その後急速に電気は普及していった。初めのうちは街灯や工場だけだったが、たちまちのうちに都市部の一般家庭にも供給網が広がっていったのだ。

　電力の供給は都市部では順調に進んだものの、遠隔地や辺境に電力を届けるには数十年、いや、それ以上の歳月を要した。インドで電気のない最後の村が電化したのは、2018年のことだ。

　現代社会では停電が起きると何もかもが止まってしまう。広い範囲で起きれば、各世帯に影響が及ぶばかりか、店や工場も閉鎖される。停電が続くなか業務を継続できる設備が整っている企業はごくわずかだ。長期間電力を供給できる発電機やディーゼル・タンクを保有しているのは、病院やデータセンター、軍事施設くらいのものだろう。

　もちろん、バッテリーで動くデバイスは停電中も機能する。スマートフォンだって使えるが、長時間は無理だ。バッテリーは100%でも、しばらくすると基地局の非常用電源が切れてしまうだろう。

　電力インフラがダウンすれば、社会はオフラインになる。公共放送は放送を続けたとしても、信号を受信するのに必要な電池式ラジオを持っている人は非常に少ない。情報の流れは止まる。工場は操業を停止する。ガソリンスタンドの給油ポン

プから燃料が出なくなる。店の棚にある食品が腐る。

　電気がまったく使えなくなれば、現代社会はほんの数日しかもちこたえられないだろう。家の食料が尽きたら、人々はほかの場所を探しはじめる──いざとなったら力づくで奪い取る。寒い時期なら、寒さに耐えかねた人々も暖まれる場所を探すだろう。煙突から煙が出ている郊外の住宅には、招かれざるしつこい客がやってくるかもしれない。お腹をすかせて凍える人は、そう簡単に引き下がってはくれない。

　幸いなことに停電はめったに起きず、起きたとしても短い時間だ。通常は数分か、長くても数時間で電力は復旧する。大嵐に襲われたあと、一部の地域で停電が数日続くことはあるかもしれない。だが、たとえば10年にわたって地球全体で電力供給が遮断されるおそれのある太陽嵐のような、もっと深刻なケースを想像してみよう。現代社会が機能を維持することは不可能だろう。そのような災害時に生き残る可能性がもっとも高いのは、電気を使わずに食料を育てて分け合う部族社会だ。

　もしインターネットがダウンしても、いまのところ停電よりその影響ははるかに小さいだろう。ネットワーク障害が起きても社会活動は止まらないし、工場も操業を続ける。テレビやFMラジオから情報は流れてくる。もちろん、ネットワーク接続がなければ、仕事はだいぶはかどらないだろうし、金融取引もほとんど成立しないだろうが。

　だが、そう遠くない将来、社会にとって情報ネットワークは電力ネットワークと同じくらい重要になると予想される。よって、ネットワーク障害が起きれば、停電時同様に人々の生活は麻痺するようになる。それどころか、ネットワークが停止すれば電気も止まるだろう。あり得ないと思うかもしれないが、そんな事態になったときは私のことばを思い出してほしい（そうならなかったら、忘れよう）。

電力ネットワークは多大な恩恵をもたらしたが、私たちはそれにずいぶんと依存するようになってしまった。情報ネットワークとの関係においてもまったく同じことが起きている。電力ネットワークと情報ネットワークは、もはやお互いが機能するためにも不可欠になってきた。技術革新は、現在進行形でわたしたちの社会を根本的に変えている。

現代の私たちはたしかに電力に依存している。だが、祖父の時代の人々が電気を活用したのが賢い選択だったことは明らかだ。それと同じで、私たちは新しいテクノロジーの利用を避けるべきではない。ただし、いまの選択が未来の世代に影響を及ぼすことを肝に銘じておかなければならない。

🔒 オフラインではいられない

「心配ないよ、うちの工場のシステムはインターネットに接続していないから」。これまで、何度このことばを聞いたことだろうか。だが、その考えはほとんどと言っていいほどまちがっている。

悪意ある者のアクセスが絶対に不可能なのであれば、コンピュータの安全を守るのはたやすい。インターネットがここまで普及しておらず、すべてのワークステーションがローカルエリア・ネットワークに接続していた1990年代なら、それはまだ可能だった。当時のデスクトップコンピュータには、一日の終わりにそれらをロックするための物理的な鍵穴と鍵がついていた——もっとも、それはキーボードを使えないようにするだけの仕組みだったのだが。

ドイツのシーメンスAGは、1960年代初頭に産業オートメーションシステムの開発に着手した。産業オートメーションとは、簡単に言うとコンピュータを利用して工場や発電所などの施設を管理することだ。今日、産業オートメーションは、シュナイ

ダー［フランスに本社を置く電気機器および産業機器のメーカー］、ハネウェル、ロックウェル・コリンズ［かつて存在した米国の多国籍企業。2018年に米ユナイテッド・テクノロジーズによる買収が完了し、コリンズ・エアロスペース・システムズに統合された］、GE、三菱電機、ABB［世界四大産業用ロボットメーカーのひとつ。スイスに本社を置き世界約100カ国で事業を展開するグローバル企業］、エマーソン［米ミズーリ州に本社を置くグローバル企業］といった国際的な企業がリードする巨大産業である。

現代の工場において、コンピュータは情報テクノロジー（IT）を担う部分、ほかのすべてのものはオペレーショナル・テクノロジー（OT＝運用・制御技術）を担う部分だ。工場の機械はPLC装置［プログラムで定められた順序や条件などに従って、各種設備や機械の動作を制御する装置］によって制御されている。PLCは「programmable logic controller（プログラマブル・ロジック・コントローラ）」の略で、最新のPLCはほとんどが小型のリナックス・サーバだ。ディスプレイもキーボードもないので、見た目はコンピュータらしくない。標準的なコンピュータで制御され、コネクタでほかのデバイスと接続されている。また、堅牢性と耐衝撃性にも優れている。コンベアベルトやポンプ、バーナーなどの機械の作動を制御・測定するのに工場設備の近くに配置される場合が多いため、防水処理が施され、激しい振動に耐えられるものもあるのだ。

PLC装置とそのネットワークは、制御室からSCADA（「supervisory control and data acquisition＝監視制御とデータ取得」）と呼ばれるシステムにより制御・監視されている。PLC装置とSCADAアプリケーションはプログラム可能で、ソフトウェアと同じでそれらのプログラムにはバグが含まれている。バグにはシステムの動作に悪影響を及ぼすものもあれば、セキュリティホールやシステムの脆弱性を発生させるものもある。産業オートメーションの場合、バグの影響は一般的なコンピュータよりもはるかに大きい。システムの不具合やクラッシュによって

高温の金属があふれ出したり、食品工場の製造ライン付近に有毒ガスが放出されたり、といったことが起きかねない。そのうえ、現在は地球上のすべての原子炉までもコンピュータ制御されているのだ。

「それだけ影響が大きいのだから、産業オートメーションはどのレベルにおいてもセキュリティが確保されているにちがいない」と、あなたは思うかもしれない。ところが残念ながら、現実はそうではないのだ。産業オートメーションのセキュリティは長いこと、ひとつの土台──「システムはインターネットに接続していない」という事実──の上にあぐらをかいてきただけだ。

その根拠はいたってシンプルなものだ。重要な産業用機器は独自の閉域ネットワーク上にあり、それにアクセスできるのは権限を付与された信頼できるユーザーだけなので、ネットワークを悪用する者もハッカーも問題ではない、というのである。絶対に攻撃されないと確信できるなら、高度なセキュリティは必要ないのかもしれない。だがあいにく、今日においては、公衆インターネットにまったく接続しないシステムを構築することは驚くほど難しいのだ。

インターネットの基本的なプロトコルであるTCP/IPは、自動でトラフィックの経路を制御（ルーティング）する。データ・パケットをA地点からB地点に送る途中で両地点間のリンクが壊れていた場合、TCP/IPは代替ルートを見つける。それがダメなら、どうにかしてまた別のルートを探そうとする。データが目的地に到着するまで、ルートが無数の短いリンクで構成されていくこともあり得る。A地点からB地点まで、場合によってパケットは地球一周分に相当する距離を移動することもあるかもしれない。

つまり、内部ネットワークが外部と接続する何らかのルートがある限り、それがどれだけ複雑だろうと、可能性が低かろう

と、内部の閉域ネットワーク上の装置が絶対にインターネットと接続しておらず、この先もすることはないとは言えないのである。長年のあいだ、私たちは何度となくそういうケースを目の当たりにしてきた。

1、知らないうちにオンラインに

エフセキュアはインターネット空間をスキャンするための独自ツールを開発した。その名も「エフセキュア・レーダー」というそのツールは、ネットワーク全体、すなわちIPv4アドレス空間にある37億以上の公開アドレスをスキャンすることができる。これによって、さまざまなデバイス、あるいはデバイス上で稼働するサービスを見つけることが可能だ。グーグル検索に似ているが、探すのはデータではなく、ネットにつながったコンピュータだ。その意味で、レーダーは「ショーダン」(Shodan)〔インターネットに接続されたコンピュータを探すことができる検索エンジン〕のような人気のサービスに似ている。

エフセキュアは公衆ネットワークのスキャンを定期的に実行し、数十億のアドレスから、PLC用ネットワークであるモドバス(Modbus)のトラフィックを監視しているシステムや、ログインなしでリモートアクセスを許可しているデバイスを捜索する。すると毎回、インターネットに接続しているはずがない産業システムが数え切れないほど見つかるのだ。これまでに、圧延工場、パン工場、発電所、スキーリフト、火葬場、水道設備、マンション管理、製鋼工場、鉄道運航管理システム、ショッピング・モールのボイラー室、製紙工場などのシステムが発見されている。

それらのシステムがなぜインターネット上にあるのか、詳しく調べてみると、納得できる理由が判明する場合もある。たとえば、メーカーがデモ版として意図的に公衆インターネットに配置したシステム。それらは一見工場を動かしているように見え

るものの、実際にはそういう機能はない。また、非常に危うく見えるシステムをオンライン上で発見して調査したところ、私たちのご同輩である情報セキュリティ・リサーチャーが設置したおとりシステムであることが判明する、といったケースもある。そうしたハニーポット・システムはオンライン攻撃者を魅了するために彼らの興味を引きそうな脆弱な見た目をしており、それに対する攻撃者の行動を安全かつ詳細に調べることが可能なのだ。

　だが残念ながら、スキャンの結果オンライン上で発見される産業システムのほとんどは、こちらの予想通り、誤って公衆インターネットに接続してしまったほんものの産業システムだ。そうしたシステムが見つかった場合、私たちはまずその所有者を探して連絡をとる。このような国際電話をかけることも珍しくない。

　「もしもし？」

　「私、フィンランドのエフセキュアのヒッポネンと申します」

　「はい？　フィンランド？　どういったご用件でしょうか？」

　「御社の工場の自動化制御インターフェイスがインターネットに直接接続していますが、ユーザー名もパスワードも要求していないようです」

　「何が、どこに接続しているんですって？」

　「工場の制御にシュナイダーのフォックスボロ（Foxboro）システムをお使いですよね。そのユーザーインターフェイスがウィンドウズのリモートデスクトップを介してオンラインになっています。システムはオープンで、パスワードを要求していません」

　「たしかにうちはフォックスボロを使用していますが、インターネット上にはありませんよ！」

　「あります」

　「あるわけないでしょう！」

「それが、あるんです。私はヘルシンキにいて、いま御社のシステムを見ています」

「でも、システムは内部のネットワークにしか接続していませんから、ネット上で見えるわけがないんです！」

「そうですか。ではこのユーザーインターフェイスのボタンを押したらどうなるでしょうね」

「いや、お願いですから何のボタンも押さないでください」

詳しく分析してみると、どの企業のケースもそうなった経緯はほとんど同じだ。制御システムは最初、安全にインストールされた。企業独自の閉域ネットワーク上に置かれ、ほかの場所からはアクセスできない状態にあったのだ。だが、長い年月のうちに何らかの変化が起きた。たとえば、ある社員が自宅で仕事をするためにリモート接続をインストールしたのかもしれない。あるいは、別個のモデムが閉域ネットワークに接続したか、何らかの理由で別々のネットワークが結合したとも考えられる。会社が合併し、もともと別個のネットワークを突貫工事で統合して業務を行うようになった、とか。理由は何であれ、内部ネットワークから公衆ネットワークへの何らかの接続ルートが生まれ得るのはたしかで、それさえあればTCP/IPは機能するのだ。

2、スラマーを思い出そう

その世界記録は2003年に打ち立てられ、未だに破られていない。本書のCHAPTER2で説明したワーム「スラマー」は、脆弱なマイクロソフトSQLサーバを通じて世界中に拡散した。サーバがワームに感染すると、今度はそのサーバもスキャン行為に加わり、感染数は爆発的に増加した。初期段階では、スキャンを行うデバイスの数は8秒ごとに倍増していった。

15分もたたないうちにワームは目的を果たした。公衆インタ

ーネット全体をスキャンし、可能なすべてのデバイスを感染させたのである。成功率は100パーセントを誇り、その拡散スピードの記録はいまもなお世界一だ。

　感染したサーバのなかには、米国オハイオ州にあるデイヴィス・ベッセ原子力発電所の内部ネットワーク内のSQLサーバもあった。どうしてそんなことが起きたのだろう？　どうやって、ウィンドウズのワームが公衆インターネットから原子力発電所にまで拡散したのだろうか？

　デイヴィス・ベッセ原子力発電所のネットワークはいくつかのリング型ネットワーク［ネットワークの伝送路を線形ではなく円環状にし、これにすべてのデバイスを接続する形態］で構成されており、それぞれがその下部システムを保護していた。それらの内部リングのネットワークIPアドレスの範囲は本来、公衆ネットワークからは見えていなかった。しかし、付近のリングに脆弱なSQLサーバがひとつでもあれば、それがワームに感染し、アドレス空間全体で——内部ネットワークの存在も、そうなれば筒抜けである——脆弱なデバイスを探すようになる。そうやって感染は各リングで広がり続け、重要なネットワークの深部にまで及んでしまった。TCP/IPはよいものも悪いものもひとしく運んでしまうのだ。

　内部ネットワークのセキュリティのことは、外部ネットワーク同様真剣に考えなければならない。どちらも危険にさらされていることに変わりはないからだ。パスワードと厳格な認証要件が必要だし、デバイス上のソフトウェアも常に最新の状態に更新しておかなければならない。更新されていないデバイスは、レベルにかかわらずオンラインにしてはならない。また、内部ネットワークのアドレス空間を外部から定期的に検証する必要もある。自分の会社がどのサービスやデバイスをオンラインでアクセス可能にしているか、あなたはほんとうに把握しているだろうか？　知っている？　知っているつもりになっているだけ

ではないだろうか？

🔒 スマートならば脆弱である

インターネットは世界でもっとも複雑な機構だ。

インターネット革命の第一波はコンピュータをオンラインに
つないだが、それはもう終わった。もはやすべてのコンピュー
タがオンラインにつながっている。現在わたしたちが目の当た
りにしているのは、第二波、つまり「モノのインターネット
(IoT)」革命である。第一波ではコンピュータがネットにつなが
り、第二波ではそれ以外のあらゆるものがネットにつながるだ
ろう。電力ネットワークを利用するあらゆるデバイスが情報ネ
ットワークにも接続される時代が、もうすぐやってくる。

以前私はある講義で、スマートなデバイスは脆弱なのだと
話したことがある。そのことばはすっかり定着し、ヒッポネンの
法則——「スマートならば脆弱である」として知られるように
なった。

悲観的に聞こえるかもしれないが、これはほんとうのことだ。
機能性と通信能力が高いほど、デバイスは脆弱になる。例と
して腕時計を考えてみよう。昔ながらの手巻き式腕時計はハッ
キングのしようがない。一方、コードが動作しインターネット
につながっているスマートウォッチはハッキングされる可能性
がある。つまり、スマートウォッチは脆弱な時計だ。スマート
テレビは脆弱なテレビ。スマートホームは脆弱な家。スマート
カーは脆弱な車で、スマートシティは脆弱な都市、というわけ
だ。

IoTデバイスは正しく扱えば安全なのかもしれないが、ユー
ザーはマニュアルを読まない。ビデオデッキがどんなものだっ
たか、覚えているだろうか？　1980年代、90年代には、友人

の家に行くと、リビングのテレビの下に大型のビデオデッキが
あって、表示窓の時刻が何年間もずっと「12：00」を点滅表
示している、といったことがあったものだ。

　なぜか？　スイッチを入れても、ビデオデッキは自動で時刻
を表示できるわけではなく、ユーザーがマニュアルの詳細な説
明を読んで自分で時刻を設定しなければならなかった。ところ
が、誰もマニュアルを読まず、時刻設定もしなかったのだ。同
じように、現代のユーザーもいちいち IoT デバイスのマニュアル
をチェックしてローカルネットワークをセグメント化する方法を
確認したり、デフォルトのパスワードを変更したりしないものだ。

　以前、さまざまな国のオーディエンスにこのビデオデッキの
話をしたところ、中年の紳士が立ち上がり、それはまちがって
いると発言した。何でもその人は80年代当時、ビデオデッキ
のマニュアルを隅から隅まで読み、正確な時刻を設定していた
というのだ。私は紳士に「あなたはドイツ人ですか」と尋ねた。
答えはイエスだった。

🔒 生活のすべてがオンラインになるとき

　スマートデバイスのセキュリティはもちろん心配だが、もっと
気がかりなのはダムデバイス［ダム端末。自分自身では処理をせず、接続
先のコンピュータが発する情報を受け取るだけのデバイスを指す］のほうだ。
いまや消費者なら誰もが、スマートデバイスがインターネット
につながっていると知っている。テレビを購入する人は、ネッ
トフリックスやディズニープラスを見るにはインターネットに接
続しなければならないことを知っている。スマート冷蔵庫なら、
買い物に出かけたときリモート接続で冷蔵庫の内部カメラを起
動させ、牛乳を切らしていないか確認できる機能に惹かれて、
人はそれを買う。スマートデバイスがインターネット接続するこ
とは、消費者には「そういうもの」として受け入れられている。

だが、近い将来にはダムデバイスまでもインターネットにつながるだろう。調理用ミキサーやトースターなどは、本来消費者がスマート機能やアプリを必要としない装置だ。そうしたデバイスまでインターネットにつなごうとする理由は、データに価値があるからだ。調理用ミキサーのメーカーは、製品の用途や顧客の居住地に関するデータの価値をよくわかっている。デバイスがオンラインであれば、そうした情報を何の苦もなく集められる。とはいえ、メーカーはまだそれを実現できていない。コストが高すぎるからだ。

一般的なIoT接続チップセットと必要な接続契約のためにメーカー側にかかる費用は数ドル、おそらく5ドル程度。安いミキサーならスーパーで15ドルほどのものが売られていると考えると、高すぎるコストだ。新しい機能もつけずに価格を30％以上も上げるわけにはいかない。したがって、ダムデバイスはオンラインにつながらないのである……いまのところは。テクノロジーの価格は下落し続けているので、いずれ調理用ミキサーのIoT接続も5セント、ひょっとすると1セントもかからずに利用可能になるかもしれない。コストが十分に低くなれば、やがて調理用ミキサーはインターネットにつながるだろう。

おそらく、消費者はそうした変化に気づきもせずに、同じ価格で売られているミキサーを買い続ける。IoTミキサーはユーザーに新しい機能を提供するためではなく、データを収集してメーカーに送るためにインターネットにつながる。電力ネットワークにつなぐすべてのものは、遅かれ早かれ、情報ネットワークにもつながるだろう。IoT革命はすでに始まっていて、否応なしに今後もあらゆる製品で起きる。私たちが賛成しようがしまいが、いずれ必ず起きるにちがいない。

それに抵抗するのは難しい、というか無理だろう。この先ずっとダムデバイスをオフラインのままにしておくのは不可能だからだ。それらのインターネット接続に用いられるのは、現在の

Wi-Fiネットワークのように、私たちの側で利用するかどうかを選べるようなインフラではない。これからのデバイスは5G、6Gネットワーク、あるいはたとえばシグフォックス（Sigfox）やローラワン（LoRaWan）といったテクノロジーを使ってごく自然にインターネットにつながると考えられる。そのうち、ネットにつながらなければデバイスは動きもしないなんてことになるかもしれない。

　家庭用電化製品などのセキュリティ確保は不可欠になるだろうが、コンピュータやスマートフォンと同じ方法でそうしたデバイスを保護することはできない。食洗機にアンチウイルスソフトをインストールしても効果はないだろうし、ファイアウォールはコーヒーマシンでは動作しない。

　IoT時代にデバイスの保護について責任を負うのは、主としてメーカー側になる。だが、価格が家庭用電化製品の重要なセールスポイントである以上、その責任とのバランスを取るのは難しい。洗濯機を買うとき、消費者は価格、汚れ落ちといった機能面、製品の色などを比較する。しかし、情報セキュリティやファームウェアの脆弱性を解消するためのパッチの提供にメーカーがどれほど積極的かを重要視し、その対価を払ってもいいと考える人はほとんどいないはずだ。

　各メーカーがセキュリティの問題を深刻に受け止め、それに注力すれば、製造コストはもっと高くなる。そうなると大多数の購入者が求める機能も追加しにくくなるうえに、セールスポイント――価格――まで台なしになる可能性があるのだ。すべてのメーカーがそれをよしとするとは考えにくく、したがってセキュリティの問題も解決するとは考えにくい。

🔒 規制はなぜうまくいかないのか

　セキュリティ問題の解決策としてよく提案されるのが規制だ。メーカーが情報セキュリティ保護に乗り出さないのなら、せざるを得なくすればいい！

　私自身は規制に大賛成というわけではない。というか、規制がうまくいった試しはほとんどない、と考えている。その一例が、EUのeプライバシー指令により定められた「クッキー法」だ。その結果、私たちはウェブサイトを訪問するたびにブラウザのクッキー（Cookie）使用に同意を求められるようになった。これこそ労多くして功少なしの典型である。ウェブ上で何らかのサービス提供を受けることに自らの責任が伴うのだというエンドユーザーの認識を高める、という規制の目的は正しかったものの、何ともモヤモヤする結果になった。ページごとに現れるわずらわしいクッキー・ポップアップを、ユーザーは深く考えることなく無視しているだけだからだ。

　とはいえ、IoTは規制が必要な領域と言っていいだろう。ただ、私はそれぞれのデバイスに個別のセキュリティ対策を施すよう各メーカーに義務づけるべきだとは思わない。セキュリティホールによって生じる損害の責任はメーカーにあると明確に定めるだけで十分だろう。新しく購入した洗濯機が発火して家が火事になったとしたら、責任をとるのはメーカーだ。洗濯機の使用中に感電した場合も同じ。ところが現状、もし洗濯機の脆弱性が原因でネットワークに入り込んだマルウェアによって家じゅうのホームコンピュータがロックされたとしたら、一転してメーカーは責任を免れるのだ。この点を私たちはもっとしっかり検討する必要がある。なぜなら、モノのインターネット接続は今後アスベストと同じような問題になると考えられるからだ。

　1950年代に登場したアスベストは全盛期には耐火性、断

熱性、絶縁性に優れた新素材で、すばらしい新発明としてもてはやされた。さまざまな用途に使用されたのも当然だ。アスベストは断熱材、石膏、ペンキ、接着剤、ビニール・カーペット、ビニール・タイルの材料の一部だった。また、衣服や人工雪の製造にも使われていた。アスベストでできたほんものそっくりの雪をクリスマスツリーに降らせることもできた。

アスベストの危険性が判明したのは、ずっとあとになってからだった。アスベストを肺に吸い込むと回復不能の健康被害を引き起こすことがわかり、使用は1990年代に完全に禁止された［日本では2006年から特殊用途以外は原則禁止、2011年以降は全廃として、新たな生産は行われていない］。

いまでこそ私たちはアスベストが悪いものだと知っているから、「それをいたるところに使っていたなんて、1960年代の人々はいったい何を考えていたんだろう」と思う。いまから50年後の人たちも、「すべてのポートをオープンにして、デフォルトパスワードを有効にしたままあらゆるデバイスをオンライン接続するなんて、2020年代の人は何を考えていたんだろう」と思うかもしれない。

お粗末なIoTデバイスはインターネットのアスベストになる可能性がある。スマートなデバイスは、脆弱なのだから。

🔒 自動車もソフトウェアである

ツイッターのフォロワーに、自動車メーカーは販売する車のファームウェア、または車両のセキュリティ・アップデートを何年間続けるべきか、と質問したことがある。1200人から回答を得たところ、「25年以上」でおおかたの意見が一致した。

気持ちはわかるが、ソフトウェア会社がセキュリティ・アップデートを提供するのはせいぜい数年くらいのものだろう。マイクロソフトはウィンドウズを最長10年という長期にわたってサポ

ートしているが、この10年すら異例のことである以上、25年というのは現実的ではない。

　ならば、どうすべきか？　現代の自動車はもはや四輪で走るデータセンターであり、車の耐用年数のあいだはシステムのアップデートが必要だ。解決策は、車のほかの部分のメンテナンス方法に倣うのがいいだろう。購入から数年は、自動車メーカーの純正部品を提供する正規の整備業者を利用する。使用年数が長くなったら、価格の低いほかのメーカーの代用品を使う。

　車の部品がタダで手に入らないのと同じで、ソフトウェアのアップデートもタダだと思ってはいけない。車が古くなったら、販売元のメーカーは誰でもアップデートできるソフトウェアプラットフォームをリリースすればいい。購入する人がいる限り、誰かがアップデートを書くだろう。1970年代に製造された自動車のブレーキパッドをいまでも買うことができるように。

　どんな製品を作っていようと、いまや企業はみなソフトウェア企業だ。自動車メーカーも、ホテルも、エアコン設置業者も、みなソフトウェア企業なのだ。

CHAPTER 5

プライバシーの死

プライバシーは死んだ。私たちの目の前で。

ほとんどのオンラインコンテンツは、ユーザーをプロファイリングし、そのデータを広告主に販売するしくみで利益を得ている。インターネットは、ユーザー個人の心配ごとなどまるで意に介さない、ひと握りの企業に支配されている。私たちは商品になったのだ。

🔒 グーグルのない生活

インターネットは多くの点で、プライバシーとは何かについての私たちの認識を変えた。それは、インターネットがもたらしたマイナス面のひとつだ。

私たちはいま、生活の半分をリアルな世界で、残り半分をネットの世界で過ごしている。そして、若い人ほどネットの世界で過ごす時間は長い。

人々が粘土で作られた小屋に住んでいた時代をふり返ってみよう。当時の人たちは、何かわからないことがあれば村の長老や神に教えを請うた。現代の私たちが頼るのはグーグル検索だ。摂食障害を親に知られないようにするにはどうすればいい？　お尻にできた変なしこりは何だ？　殺人の凶器をどこに隠すべき？　こうしたことを、人々はグーグルに尋ねる。ほかの人には決して言えないような話を、グーグルになら打ち明けるのだ。まるで教会の懺悔室のように。心の奥底にしまっておいた秘密を、自らの意志で、カリフォルニアの一企業に告白する。そして、その企業は私たちの秘密を広告主に売る。

何年か前に、私はグーグルなしの生活に挑戦したが、あえなく失敗した。グーグルの代わりにほかの検索エンジンを利用するのはわけもないことだったし、グーグルのブラウザとモバイルOSに代わるものも見つかった。だが、グーグルアドとグーグルアナリティクスはほぼすべてのウェブサイトに使用されている。ユーチューブを見ないのも難しい。マップもOffice用のアプリケーションも同じだ。グーグルの製品はほんとうにすばらしい。ただひとつ、プライバシーではなくお金で利用料を払うことができたらいいのに、と思う。

何もやましいことがなければ、オンラインのプライバシーなど問題ではないと多くの人は考える。犯罪者じゃあるまいし、隠すことなど何もない、と。しかし、たとえ隠したいことが何

ひとつなくても、誰にでも守るべきものはある。私たちのデータは価値ある商品になった。ということは、プライバシーには保護するだけの値打ちがあるのだ。

もし「自分には隠すべきものはない」と私に言う人がいたら、大切な情報を共有してはいけない相手だと自分から教えてくれてありがとう、と思うだろう。そんな人に秘密を打ち明けるわけにはいかないからだ。

🔒 殺人容疑に時効はない

オンライン広告はどこまでも追いかけてくる。インターネットユーザーならほぼ誰でも、ある製品の情報を一度でも検索したら、どのウェブサイトを見てもそれに関連する広告が表示されることを知っている。

言うまでもないがそれは偶然ではなく、そこには巨大なビジネスがからんでいる。

ウェブサイトの維持やコンテンツ制作にはコストがかかるが、その資金を確保するもっとも一般的な方法が広告スペースの販売だ。オンライン広告はテレビやラジオ、新聞、看板の広告とは性質がまったく異なる。紙の新聞の場合、読者がどの記事を読んだかは新聞社にはわからない。長いあいだ購読している読者であっても、その人が旅行関連の記事を好んで読んでいるとか、自動車の記事は読んでいないといった傾向を新聞社がはっきりつかむことはできないのだ。その点、ウェブサイトならユーザーが各ページにどれだけ時間をかけたかや、記事を読むスピードなどを知ることができる。ページに保存されたクッキーによって、運営者は毎日ユーザーを識別できる。ユーザーがスマートウォッチを持っていれば、どの記事で心拍数が上がるかさえ記録されるのだ。検索エンジンとみなされているグーグルは、実は世界最大の広告会社なのである。

グーグルの検索エンジンを使った検索の多くは、グーグル内で完結する。グーグルは情報元のウェブサイトへのトラフィックを生成するのでなく、各サイトに関連するさまざまな情報を盛り込んだ検索結果を表示する。これはユーザーには好都合──たとえばある店の営業時間を知りたい人は、その店のサイトに行かなくてもグーグルの検索結果を見れば店が開いているかどうかをすぐに確認できる──だが、訪問者のトラフィックで成り立っているサイトにとっては命取りだ。グーグル検索の65％は、検索結果がクリックされることなく完了する。ここまで多い理由のひとつは、検索結果のページに表示される情報の多さにあるというわけだ。

　グーグルはあなたのブラウザにクッキーを設定する。有効期限は2年だが、グーグルのサービスを利用するたびにリセットされる。つまり実際は、何年か刑務所に入りでもしない限り、グーグルはあなたを絶対に忘れないのだ。殺人容疑とグーグルのクッキーに時効はない。

　ひとつのデバイスからサイトを閲覧するだけでも多くの情報が生成されるが、ユーザーのすべてのデバイスのデータを一元管理することができれば、グーグルにとってはもっと効率がよい。シアトルの新聞社に勤める経済部編集者、ジョーの例を考えてみよう。仕事用のコンピュータで行った検索、視聴した動画、訪問したサイトは、財務諸表や経済動向に関心をもつタイプの人物の全体像をグーグルが把握するための情報になる。ジョーが職場のPCを閉じてベルヴューにある自宅に向かうとき、検索の内容は変わる。たとえばジョーの趣味が釣りなら、彼の検索ワードや閲覧した動画は自然や旅や釣りに関心をもつ特定の年齢の人物に関する情報をグーグルに提供する。

　グーグルが収集した情報は、ジョーが仕事用のPCでグーグルマップにログインし、企業の場所のデータを保存したり、自宅のコンピュータでユーチューブにログインして釣りの動画に

コメントしたりすれば、いっそう価値あるものになるだろう。そのとき、グーグルが認識する景色はがらりと変わる。経済問題に関心のあるシアトルのジャーナリストと、ベルヴュー在住で釣り好きの青年が同一人物であることが判明するからだ。これでジョーのプロファイルはより正確になり、価値も高まる。ジョーがスマートフォンでGメールにログインし、タブレットでクロームのブックマークにウェブサイトを保存すれば、人物像はいっそう明確になり、トラッキングによってジョーが使用しているすべてのデバイスを統合することができる。

　グーグルはあなたがどこに住んでいるかも把握している。インターネットユーザーの位置を特定するのに、GPSデータは必要ない。カメラを搭載したグーグルの撮影車が世界中を走り回って通りという通りを撮影し、風景だけでなく、見つけたWi-Fiネットワークとネットワークアドレスをすべて記録しているからだ。数十億人のアンドロイドユーザーが、自らの位置情報をせっせとカリフォルニアに送っているからだ。

　位置情報の収集により得られるメリットは明らかだ。たとえば、ユーザーに渋滞の発生を通知するのが容易になる。数十人のアンドロイドユーザーが同じハイウェイで急に速度を落とし、のろのろ移動し始めたときは、必ず交通渋滞が起きている。

　アップルは初代iPhoneの発売当時、地図にグーグルマップ（およびスカイフック社が提供する位置情報）を採用した。いずれアップルはiPhone用の独自の地図サービスを導入するとみられていた。しかし、意外だったのは、距離を測ったり道幅を計算したりするアップルの車を目にしなかったことだ。アップルにはその必要はなかった。何百万、何千万人のiPhoneユーザーが代わりにデータを提供してくれるからだ。アップルマップが発表されたときには、マップが必要な場所──iPhoneユーザーがいるすべての場所──に関する正確な位置情報はすでに集まっていた。

🔒 グーグルはあなたを盗聴している?

オンライン広告に関して世に広く伝えられている都市伝説がある。グーグルとフェイスブックは私たちの会話を盗聴し、その内容に基づいて広告を表示している、というのだ。そう思いたくなることもあるかもしれないが、それは事実ではない。

それが勘ちがいであることはちゃんと説明できる。何らかのトピックについて話したすぐあとに、そのトピックに関連するオンライン広告を目にした経験は、きっと誰にでもあるだろう。だがそれは、グーグルがあなたの会話を録音して広告のターゲットを見つけるのに使用しているからではないのだ。

もっとも考えられる理由は、人はいま話したばかりのことがらに気がつきやすいということだ。たとえばスマートフォンにマウイで過ごす休暇の広告が表示されていても、ふだんは目に留まらないだろう。ところが、たまたまカフェでいとこ休暇のマウイ旅行でどこを訪問しようか話したばかりだったとしたら、同じ広告があなたの関心を引くかもしれない。

あるいは、あなた自身ではなく、あなたの友人があなたとの会話の内容に関連するインターネットコンテンツを閲覧したのかもしれない。同僚と休憩中にハギス[羊の臓物を刻み、胃袋に入れて香辛料で煮込んだ料理]の話をしていたら、午後に見たフェイスブックにおいしそうなハギスの広告が表示されたとしても、それは陰謀ではない。あなたとの会話がきっかけで、同僚があなたのワークステーションと同じアドレス空間から本格的なハギスのレシピをオンラインで検索していたのだろう。この上なく奇妙なできごとに思えても、完璧に論理的な説明ができることはあるのだ。

🔒 巨人たち

シリコンバレーの巨大企業のビジネスモデルはどれも同じように見えるかもしれないが、プライバシーという観点からすると、アメリカのテック企業各社には根本的なちがいがある。

フェイスブック（メタ）：ユーザーの人間関係を調査して、得られた情報を最高値をつけた入札者に販売する。

アップル：高額のスマートフォンを販売する。販売目的で顧客プロファイルを作成することはない。

ネットフリックス：映像作品を制作・配信する。販売目的で顧客プロファイルを作成することはない。

マイクロソフト：Office製品、クラウドサービスのアジュール、ゲーム機エックスボックスを販売する。販売目的で顧客プロファイルを作成することはない。

アマゾン：オンラインでさまざまな商品を販売し、AWSがクラウドサービスを提供する。

グーグル：私たちの生活を調査し、得られた情報を最高値をつけた入札者に販売する。

アップルは恵まれている。なぜなら高額な製品を販売できるので、ユーザーのプライバシーを侵害して利益を生み出す必要がないからだ。アップルは、とくにグーグルとの競合においてその利点をマーケティングに活かしている。

グーグルとアップルは多くの点で異なっている。モバイル決済がよい例だ。ユーザーがスマートフォン決済で購入する商品のデータには値打ちがある。消費者のタイプを正確に把握できれば、広告主が広告のターゲットを絞り込むのが容易になるからだ。前月の毎週金曜日に12本入りパックのビールを購入した人は、次の月の毎週金曜日にも同じ行動をとる可能性

が高い。

　だから、グーグルのアンドロイドを稼働させるモバイル端末がユーザーのモバイル決済データを集めていると聞いてもまったく驚かない。一方で、iPhoneはそれをしていない。データを収集する代わりに、アップルはどんな苦労も惜しまず、購入された製品に関するデータをユーザーのデバイス以外に絶対に保存しないよう徹底を図っている。その気になれば、そうしたデータをたとえば保険会社などに売るのはわけもないはずなのに。しかし、アップルにはその必要がない。巨額の利益を生み出すiPhoneがあるからだ。アナリストであるホレス・デディウのことばを借りれば、「iPhoneは史上最高の人気と価値を誇る製品」なのだ。

　私はよく、フェイスブックを使っているかと聞かれる。そのときはいつもこんなふうに答える。「いいえ。個人情報なんて、高くて手が出せませんよ」

🔒 最新型のビジネスモデル

　情報セキュリティ企業は悩めるユーザーが犯罪者と戦う手助けをする。と同時に、情報セキュリティ産業は、時価総額数十億ドルの大企業が牛耳る巨大ビジネスでもある。

　この業界に参入するスタートアップは絶えることがない。言うまでもなく、イノベーションと新しいコンセプトがこの分野を前進させ続け、勝者と敗者が生まれる。ビジネスとはそういうものだ。

　一方で、なかには勝敗の基準がまったく新しいスタートアップもある。2018年、カリフォルニア州で開かれたある会議で、私はクラウドサービスの未来をテーマに講演を行った。最初の日、私はグーグルのクラウド部門が招待客に無料ランチを提供している近くのホテルを訪れた。案内されたテーブルで、

ふたりの紳士と同席することになった。どちらもコンピュータ・サイエンスの博士号をもつオランダ人だ。背が高いほうの人物はルーカスと名乗り、2年前にアムステルダムでスタートアップを立ち上げ、CEOを務めているという。

彼らの会社について質問すると、クラウド内部の異常を検知して例外的状況を発見するサービスを提供しているとルーカスは答えた。彼らのシステムはグーグルのクラウドプラットフォーム上で動作し、完全に機械学習を基盤としていた。機械学習テクノロジーはどこの会社のものか尋ねたところ、すべて彼ら自身で開発したとのことだった。このために、彼らは何度か大々的な資金調達ラウンドを実施し、集まった資金を使って人工知能テクノロジーの博士号をもつ人材を十名ほど採用した。この業界のスタッフ獲得競争は熾烈をきわめることで知られているが、彼らは高額の報酬とストックオプションを提示して、もっとも優秀なスペシャリストを集めたという。

私は困惑した。彼らの会社が何をしているかはわかったが、どうやって利益をあげているのかが理解できなかったからだ。私は彼らのビジネスモデルは何か、つまり、どんな方法でお金を稼いでいるのか、と質問した。

ルーカスは笑って、利益を出すつもりはないと言った。立ち上げたスタートアップをグーグルに買収してもらうのが、彼らのゴールだった。

🔒 生体認証

ユーザーデータの保護にかけては、アップルは模範的な企業である。スマートフォンの指紋認証が普及した結果、データ漏洩によりユーザーの指紋まで悪人の手に渡る心配もしなければならなくなった。指紋はパスワードのように変更するわけにいかないので、これは非常に気がかりな問題だが、アップ

ルはここにも手を打っている。

2012年、アップルは業界トップのリサーチ会社であるオーセンテック（AuthenTec）を買収し、独自の指紋リーダーの開発に着手した。その翌年、アップルはタッチIDを搭載したiPhone5Sを発表した。アップルの指紋リーダーはユーザーの指紋を保存しないため、漏洩することもない。指紋の代わりにアップルが保存したのは計算された一方向ハッシュである。任意の長さのデータ（この場合は指紋の形状）をハッシュ関数と呼ばれる関数に通すことでロック解除に有効なデータ（ハッシュ値）が生成されるが、このハッシュを使って元の指紋を再現するのは不可能である。さらに、アップルは指紋に関連するあらゆるデータをユーザーのスマートフォンのセキュリティチップにのみ保存したので、インターネットに送られることは絶対になかった。

アップルは数億ドルを投じてタッチIDシステムを開発したが、わずか4年後にはさらに高機能の生体認証システム、フェイスIDへの切り替えを開始した。

少し意外だったのは、アップルのフェイスIDがマイクロソフトのゲーム機・エックスボックスのアクセサリであるキネクト（Kinect）に搭載された技術を採用したことだ。キネクトは、ゲーム機がデバイスの前にいるプレーヤーの動きをトラッキングできる、2010〜2015年ころに人気があったアクセサリで、ダンス系のゲームなどに使用された。プライムセンス（PrimeSense）が開発したその技術は、赤外線センサーが無数の小さな点を部屋に投影し、それらが反射する時間差に基づいて人間やその他のオブジェクトの形状や動きを検出するというものだ。

アップルは2013年にプライムセンスを買収し、もともと11インチ幅だったキネクトをiPhoneXの上縁に収まるサイズに縮小させ、2017年にフェイスIDをリリースした。これも指紋同様ユーザーの顔のデータはアップルには送られず、iPhoneのセキュリティチップであるセキュア・エンクレイブ（Secure Enclave）にの

み保存される。

　身体的機能のトラッキングは、新たに多くのことを可能にするだろう。たとえば、アップルウォッチをつけたユーザーがiPadで電子書籍を読んでいるときに、彼らの心拍数をモニタリングして、その本のどの部分に読者がとくに興奮するかがわかるかもしれない。だが、私たちの知る限り、アップルはそれを実行していない――少なくともいまのところは。

　グーグルとアップルは多くの点で競合しているが、同時に密接な協力関係にあることもたしかだ。独自の検索エンジンをもたないアップルは、スマートフォンやコンピュータにおいてグーグルを既定の検索プロバイダーに設定している。ただし、グーグルはその対価として毎年90億ドルをアップルに支払っている。

　つまりグーグルは、毎年90億ドルを払ってグーグルをアップル製品の既定の検索エンジンにさせ、アップルユーザーを無料検索エンジンに誘導している、と言ってもいい。

　まさにデータは金なり、というわけだ。

🔒 SNSと距離を取る

　フェイスブック、ツイッター、リンクトイン、スナップチャット、ティックトックなどのソーシャルメディアは、優れたビジネスだ。ユーザーはこれらのサービスを利用して、ほかのユーザーが制作したコンテンツを見る。ネットフリックスやスポティファイはコンテンツの制作者にお金を分配するが、フェイスブックとそのライバルたちはコンテンツ制作者にお金を払わない。それどころか彼らの行動を記録して、それを他者に売っている。

　私はよく人々に、一度でいいから、ユーザーとしてではなくクライアントの視点からSNSを試してみるべきだ、とすすめている。フェイスブック、あるいはツイッターの広告を試しに買ってみるといい。コストも手間もそれほどかからない。やってみた

ら、広告メッセージのターゲティング精度の高さに目を見張ることだろう。

とくに米国では、広告代理店はオンラインおよび現実世界のさまざまなデータベースを駆使してターゲティング広告を行う。ツイッターはクレジットカード会社や優良顧客特典プログラム（ロイヤルティ）からデータを購入し、電話番号に基づいてそれらのプロフィールをツイッターユーザーと照合する。それにより広告主は、特定のシリアル製品を購入する、あるいは特定の政党に投票する特定の年齢の人に対象を絞って広告を表示できるようになる。

また、SNSに投稿した内容は永遠に残ることを心に留めておくべきだ。とりわけ幼い子どもをもつ人は、自分の子どもの恥ずかしい話をネットにアップするのは控えたほうがいい。「オリバーが近所の家の食洗機におしっこをした」などという話を母親がフェイスブックに投稿するのは、息子が3歳のときならほほえましいだろう。だが、オリバーが13歳になってもその話はオンラインに残り、クラスメートがそれを見つけてしまうかもしれないのだ。

多くのサービスはユーザーのなかから友人や知り合いを探す機能を提供している。何の害もないと思うかもしれないが、これはサービス提供者にあなたのスマートフォンに保存されているアドレス帳や連絡先へのアクセスを許可しているのと同じことだ。正しい目的で使われていると確信できない限り、自分のアドレス帳を共有してはいけない。そもそも、アドレス帳のデータをほかの人に提供する権利は、あなたにはないのだ！ 友人たちは自分の電話番号や家の住所といった個人情報がよくわからないオンラインサービスに知られるのを喜ばないだろう。私たちの多くは、ドアコード［ドアロックを解除するための文字番号］や子どもの名前など、いろいろな情報をアドレス帳に記載している。そんなデータを素性の知れないサーバにアップロードしたいと、ほんとうに思うだろうか？

選挙運動にインターネットのターゲティング広告を使用するのは禁止するべきだと、私は思っている。

だが、このような意見を提案しても、必ずと言っていいほど、主に政治家たち自身からの強い反対に遭う。この考えに異を唱える人たちは、オンラインの政治広告を制限するべきではないし、制限するのは不可能だとさえ思っている。それが法的に実行可能だと言っても、彼らは信じない。だが、彼らはまちがっている。それが証拠に、オンラインの政治広告は多くの国ですでに違法とされているのだ。例をあげると、日本、ブラジル、ベトナム、韓国で、グーグルとフェイスブックはそれぞれのプラットフォーム上のすべての政治広告をブロックした。

オンライン広告のプラットフォームは、ユーザーに関する情報に基づいて構築されている。消費者の興味や志向を知ることによって広告の制作とターゲティングは容易になるが、選挙運動でそうしたプロファイリングを活用するのは危険なことだ。

従来型の選挙運動は新聞の紙面や看板、テレビ、ラジオを使って行われる。有権者はみな同じ広告を見るし、候補者は投票予定者全員に同じメッセージを送る。一方、インターネットでは、大勢の人を対象にしながら個々のユーザーに合わせたカスタマイズ広告がおもしろいほど簡単に打てる。ひとりひとりの有権者それぞれに訴えかけ、対立候補を信頼できないと思わせる、あるいは投票所に行くのを思いとどまらせることを目的とした広告を短期間で作ることができるのだ。もっと悪いことに、ユーザーのほうも、ほかの人もみな同じ広告を見ているものと思い込む。同じ内容を見ているのは自分だけかもしれないのに。インターネット広告では、ひとりの候補者が有権者別に正反対のメッセージを送る可能性すらあるのだ。

私は何も、候補者がSNSを利用すべきでないと言っている

わけでも、有権者との交流を禁じようとしているわけでもない。ただ、ユーザーの情報を選挙運動のために売買するのは禁止したほうがいいと考えているのだ。

　オンラインのプロファイリングを利用して有権者の心理を操れば、予測できない結果が待っている。ドナルド・トランプが選ばれた2016年の米国大統領選挙や、事前の予想に反してEU離脱賛成派が勝利した英国の国民投票がそのよい例だ。2021年1月に起きた米国議会議事堂襲撃事件は、前年にトランプが敗れた大統領選挙の投票で不正があったという組織的なデマがオンラインで拡散した結果でもあった。分断された国家は弱い。ロシアも中国も、米国がいまこうしたトラブルを抱えていることをきっと喜んでいるだろう。

　インターネットの初期には、親が子どもに「ネットの情報を何でも信じてはいけない」と教えていた。インターネットが日常生活の一部になったいま、オンラインに転がっている嘘を見抜くのは、親よりも子どものほうがはるかに上手なようだ。どうしたわけか、大人たちはかつて子どもにした注意をすっかり忘れたかのように、陰謀論を求めてネットの掲示板を読みあさっている。その結果、私たちは「新型コロナウイルスのパンデミックは人々の血流に5Gチップを埋め込むためにビル・ゲイツが仕組んだ」などという話を大勢の大人たちが信じる時代に生きている。

🔒 プライバシーは死んだ

　歴史を通して、人を生まれてから死ぬまでのあいだ追跡し続ける手段はなかった。だがそれは過去の話だ。現代ではそれが容易にできる。なぜなら、私たちがますます多くの時間を現実ではなくオンラインの世界に費やしているからだ。テクノロジーによって、私たちが誰とどこにいるか、いつ誰と話をし

たか、何が好きで何が嫌いなのかが筒抜けになったからだ。

　インターネットが生まれて間もないころ、やがて商業オンラインサービス──ニュースサイト、天気予報サイト、ゲーム、「それからオンラインビデオまでも！」──が登場するのは誰の目にも明らかだった。だが、そうしたサービスがどんな方法で消費者に利用料を請求するのかは、まだはっきりしていなかった。ウェブブラウザ上のボタンをクリックして、消費者が少額の利用料を支払い、たとえば翌日の天気予報を2セントで買えるようにする、というのが妥当ではないかとみられていた。

　数十年が過ぎたが、ブラウザには未だ支払ボタンはない。私たちはオンラインコンテンツの利用料を、お金ではなくデータで払っているのだ。ウェブは、以前は誰も予想しなかったこと──トラッキング──を実行し、そのサービスで数十億ドルも稼ぐ巨大企業をいくつも生み出している。プライバシーが死んだのは、それを殺せば儲かるからだ。

　ただ幸いなことに、データトラフィックの強力な暗号化技術の開発が進んでいる。暗号化は、人々をこっそり見張ることを難しくする。データが暗号化されると、部外者はデータが動いていることはわかってもその内容までは見ることができない。ただし、グーグルやフェイスブック、ツイッターなどの企業は自ら独自のプラットフォーム上でサービスを提供しているので、部外者には含まれない。たとえば、ツイッターのユーザーが別のユーザーにプライベートメッセージを送るときは暗号化が実行されるため、送信者と受信者、ツイッターだけがメッセージを読めるというこことになる。

　かつて「プライベートな会話」は、誰にも聞かれることなくふたりだけで何かについて話をすることを意味した。いまでは、それはソーシャルメディアのプライベートメッセージを利用してチャットするという意味になった。つまり、プライベートなはずのやり取りに、突如として第三者（ツイッター、ティックトック、スナッ

プチャットなど）がかかわるようになったのだ。

　コンテンツの暗号化は通信そのものを見えなくするわけではない。暗号化がなされても、たとえばふたりの人間が会話をしていた、という情報を提供する「メタデータ」、すなわちデータについてのデータは手に入る（会話の内容はわからないが）。

　メタデータによって、プラットフォームはあなたが午前3時に自宅を出てタクシーで魅力的な同僚の家に行った事実は把握できるが、あなたが何を考えていたのかまではわからない。メタデータはあなたがアルコホーリクス・アノニマス［アルコール依存者の自助グループ］のオンラインディスカッションや自殺願望のある人のためのサポートチャットで数時間過ごしたことは明らかにするが、そこであなたがどんな発言をしたかはわからない。メタデータはあなたが離婚専門の法律事務所とメッセージのやり取りをしている事実はつかんでも、メッセージの内容まではわからない。だが、多くの場合、それで十分なのだ。

　2014年にマイケル・ヘイデンCIA長官が述べたことばは的を射ていた。「メタデータを使えば人も殺せる」

　諜報機関が強力な暗号化技術の導入を嘆く声を、あなたはこれから何度となく耳にするだろう。たしかに、ウェブブラウザやワッツアップなどの一般的な消費者製品が強力な暗号化を施すようになったことで、諜報活動や偵察がやりにくくなるのは事実だ。

　しかし、暗号化によって諜報活動は暗黒時代に戻るだろうと言う人もいるが、そんなのはナンセンスだ。むしろ、私たちは諜報活動の黄金時代に生きている。いまほど、人々に関する多くの情報をたやすく集められる時代はない。会話がなされたというデータが入手可能なのだから、会話の内容を判読したり暗号を解読できないという事実など取るに足らないのだ。

　もちろん、泥棒などの犯罪者もお互いのやり取りを容易に暗号化できる。ほかのすべての人と同じように、犯罪者もワッ

ツアップ、シグナル、テレグラム、ウィッカー（Wickr）をスマートフォンにインストールし、好きな相手と話すことができる。強力な暗号化技術に守られながら。だが、それはその使用を制限する理由にはならない。犯罪者が利用できるからといって、テクノロジーを違法にするわけにも、悪者扱いするわけにもいかない。テクノロジーはツールであり、ツールはよいことにも悪いことにも利用される可能性があるというだけだ。

　何かが発明されたら、もうそれが存在する前の時代には戻れない。そういった意味では、優れた暗号化技術もひとつの発明だ。どこかの図書館に行き、データ処理関連の書籍が並ぶ書架から絶対に解読できない暗号化システムの構築方法に関する本を借りることは、誰でもできる。だから、過ぎ去ったことを嘆いていてもしかたないのだ。

　強力な暗号化を禁止する法律が定められたら、法を遵守する私たち市民はおそらくそれに従い、人為的に弱められたセキュリティシステムを黙って利用するだろう。残念ながら、犯罪者は法律には従わない。言うまでもなく、それが犯罪者の犯罪者たるゆえんだ。高度な暗号化技術の使用が犯罪とされれば、それを利用するのは犯罪者だけになるだろう。

🔒 Gメール以前・Gメール以後

　多くの人々にとって、いまではメールといえばアウトルックかGメールを意味する。職場ではたいていの人がマイクロソフトのメールサービスであるアウトルックを、ブラウザ上のクラウドサービスかスマートフォンやコンピュータで稼働するアプリケーションのいずれかの形式で利用している。一方、自宅ではほとんどの人がグーグルのGメールを利用する。

　はじめからこのふたつが主流だったわけではない。メールの基盤は、1982年に開発されたSMTPプロトコルだ。その目的

は、各メーカーのメールシステム間の相互運用性を確保することだった。

メールは最初ユニックスのOSを用いたマシン間に普及し、エルム（Elm）、パイン（Pine）、マット（Mutt）などのソフトウェアを使って読み書きされた。1980年代後半、ウィンドウズユーザーはユードラ（Eudora）、グループワイズ（GroupWise）、ロータスノーツ（Lotus Notes）などのソフトウェアを利用しはじめた。マイクロソフトのアウトルックが登場するのは1990年代中ごろのことで、あっという間に人気を集めた。

時期を同じくしてウェブブラウザも急速に進化し、1996年にはヤフーメールとホットメールがリリースされた。これらのサービスはメールに革命を起こした。ウェブ上で動作するので、新たにソフトウェアを購入する必要がなく、メールアカウントも必要なくなったのだ。当時、自宅でコンピュータを使用するユーザーは、インターネット接続の申し込みをする際にプロバイダーからメールアカウントを付与されるのが一般的だった。そのため、たとえば「hyppo5@aol.com」、「mikkohyp8@netcom.com」、「mhypponen@comcast.net」といったような形で、ユーザーのメールアドレスにはプロバイダー名が明示されている。プロバイダーを変えればそれまでのアドレスを利用できなくなり、新しいアドレスをすべての連絡先に伝えなければならなかった。

プロバイダーのメールサービスも、ヤフーやホットメールなどのウェブメールも、アカウントの容量はかなり限られていた。受信メールの数が増えて容量をオーバーしたら、メールを削除するか新たに容量を購入するしかなかった。この点に関して、多くの事業者はきわめて厳格だった。たとえばホットメールの場合だと容量は2メガバイトで、届いたメールに小さいファイルが2、3個添付されていたらすぐにいっぱいになった。

そんな状況が一変したのは2004年4月1日のことだ。その日、グーグルは新しい無料のウェブメール、Gメールを発表した。

Ｇメールにはメッセージ数の制限がなく、保存容量も1000メガバイトと申し分なかった。話がうますぎてとても信じられず、誰もがエイプリルフールのジョークだと思ったが、グーグルは本気だった。いまでは過去のメールを無制限に保存できるのはあたりまえになり、古いメッセージを削除して保存容量を確保するなんて考え自体がばかばかしくなった。その後グーグルは保存容量を少しずつ増やしていき、現在はひとつのアカウントにつき15ギガバイトを無料で利用できる。これが可能なのは、グーグルがハードドライブの容量を販売することで顧客にサービスを提供するための資金を賄おうとしていないからだ。その代わりにグーグルは、ユーザーのメール内容に基づいて広告を提示することで利益をあげている。

広告主がユーザーのメールにアクセスできれば、広告プロファイリングを目的とした情報収集は非常に簡単になる。メールを見れば、ユーザーがオンラインで何を注文しているか、どこ行きのフライトを予約したか、誰とやり取りしているかがわかる。グーグルユーザーが親族が亡くなったことをメールで知人に連絡すると、そのあとから葬儀社の広告が表示されはじめるという話がネットに広まっているくらいだ。

そのインターフェイスがユーザーに好評だったため、Ｇメールは企業にも広がった。現在500万を超える企業がビジネス向けＧメールを利用している。ビジネス向けの場合、メールアドレスに「gmail.com」はつかないが、根本的なシステムはプライベートで使うＧメールとほとんど同じだ。

いまでは世界のメール・トラフィックの約3分の1がＧメールを経由している。それはグーグルにとって大きな成果である一方、いくつかの問題を生み出した。

グーグルのスパムフィルターはたいへん強力できわめて効率がいい。Ｇメールが登場する前、スパムはいまよりもはるかに大きな問題だった。つまり、残念ながら、Ｇメールの代わりに

なれるものはもはやセキュリティの観点からも存在しない、ということだ。かつては多くのユーザーや企業が独自のメールサーバを運用していた。今日、自身のメールサーバを運用していると、あなたのメッセージは受信者のスパムフォルダに分類される可能性が高い。いまでは新しいメールサーバにはめったにお目にかかれないため、ほとんどのスパムフィルターは独自のサーバから送られたメールを無条件で怪しいと判断する。フィルターの気持ちを代弁するならば、「Gメールがうまく機能しているのに、いったいどうしてわざわざ自前のサーバを使うんだ?」といったところだろうか。その通りだと私も思う。

ふたつめの問題は、Gメールが重要なログインハブ、すなわちインターネット上の複数のシステムやアプリケーションを利用するためのシングル・サインオン・サービスになったことである。そうした状況を悪用して金銭を奪う犯罪が増えているのだ。もっともよくある手口が、オンラインゲームやディスカッションフォーラムから漏洩したユーザーのパスワードを使ってGメールアカウントを乗っ取るというもの。たとえばオンラインゲームから盗んだユーザー名とパスワードを使って、攻撃者はGメールにログインを試みる。残念ながら、たいていの場合ログインは成功する。ユーザーはさまざまなサービスで同じIDを使い、ほとんどすべてのサイトで同じパスワードを使い回しているからだ。Gメールだって例外ではない。

Gメールアカウントの情報が一度漏洩すれば、すべて終わりだ。これで攻撃者はあなたのメール履歴にアクセスできるようになる。それだけでなく、同じGメールのアドレスでアカウントを設定したオンラインストアの情報も手に入る。オンラインストアにアカウントを作ると、「登録ありがとうございます」のメールが店舗から届くだろう。Gメールではそうしたメールはすべてあなたの履歴に保存されているので、攻撃者も簡単に見つけられる。Gメールは古いメールを削除する必要がないため、

10年も前の「登録ありがとう」メールだって容易に見つかるのだ。これで、あなたが特定のオンラインストアにアカウントをもっていること、ユーザーIDがGメールのアドレスであることも攻撃者に知られてしまうことになる。

この時点では、オンラインストアで使用されるパスワードはまだ盗まれていないが、それだって攻撃者からすればどうにでもなる。どんな店のログインページにも、正確なパスワード入力を回避できる魔法のボタンがある──「パスワードを忘れた方はこちら」と書かれたボタンだ。攻撃者があなたのGメールアドレスをログインページに入力し、そのボタンをクリックすれば、店舗が新しいパスワードを送ってくる。攻撃者が侵入したGメールアドレスに。Gメールはまさしくシングル・サインオン・サービスだ。あなたのGメールにアクセスできれば、攻撃者はすべてを手に入れることができるのだから。

では、それを防ぐためにあなたに何ができるだろう？　ネットワークハブとしての自らの役割を十分に認識しているグーグルは、Gメールに二段階認証システムを導入した。ユーザーがスマートフォンにグーグル認証アプリをインストールし、ワンタイムパスコードを使ってGメールを読むそれぞれのデバイスを認証する、というしくみだ。デバイスが一度認証されれば、その後は何もする必要はない。ただし、新しいデバイスでメールを読もうとするとき、あるいは侵入者があなたのアカウントへのアクセスを試みた場合、認証アプリが表示するコードを入力しない限り誰もGメールを開くことはできない。

メールがほかの多くのサイトの入り口としての役割を果たしている以上、その安全確保は重要だ。必ず長いパスワードを設定するようにして、ほかのサイトとの使い回しはせず、二段階認証を活用しよう。

そして、もしどうしても自前のメールシステムを使いたいというなら、幸運を祈る。いずれアウトルックかGメールが必要に

なると思うけど。

🔒 完璧な暗号化は可能か?

　暗号化はまちがいなく有効だ。正しく実装すれば、暗号化システムを破るのは事実上不可能なのだ。

　だが、それだけ優れた技術がありながら、機密情報が悪人の手に渡るケースがなくならないのはなぜなのだろうか?　それは暗号化システムの実装方法がまちがっているからだ。あるいは、攻撃者がまた別の、より脆弱なルートを見つけたからだ。

1、完璧な暗号化とは

　ネットワークのトラフィックを絶対に解読できないレベルまで暗号化することは可能か?　理論上可能ではあるが、それはおそらく史上一度も実現していない。というのも、労力がかかりすぎるのだ。暗号化の基本は、テキストなどのデータを暗号化されたフォーマットに変換し、それを受信者に送り、受信者が元のフォーマットに戻すというものだ。暗号化の目的は、トラフィックを監視している悪人がそれを復号できないようにすることにある。

　完璧な暗号化のしくみとは次のようなものである。まず、送信者と受信者が事前に復号キー（復号鍵）を交換しておく。復号キーはまったくランダムな数字からなり、非常に長く、一度しか使われない。暗号化は元のデータを個々の文字に分解し、キーの数字を使ってそれぞれの文字に演算処理——たとえば数字を足し合わせる——を行うことにより実行される。キーの数字は一度の暗号化につき一度しか使用されない。その結果が受信者のもとに送られ、逆算が実行される。

　この技術はワンタイム・パッドとして知られ、一世紀以上前からあるが、暗号化技術としてはいまなお完璧な精度を誇る。

犯罪者が暗号化されたトラフィックを手に入れても、わかるの
はメッセージの長さのみ。キーは暗号化されたテキストと同じ
くらいの長さがあるので、すべての復号キーを試すのは事実上
不可能だ。暗号化されたメッセージが「koala」のようなひと
つの単語だけだったら、考えうる全部の暗号化キーを試して
みれば、たとえば「otter」「tires」「sssss」など、可能性の
ある5文字の単語が候補としてあがり、いつか「koala」にた
どりつけるかもしれないが。

　だが、実際のところ、このような完璧な暗号化を行うことは
非現実的だ。巨大で完全にランダムな暗号化キーの生成は
困難なうえ、それを安全に保管するのにも多大なコストがかか
る。それに、それほど大きな暗号化キーを当事者間で安全に
送信する手段があるなら、そもそもキーを送る必要などない。
それと同じ安全なルートを経由してメッセージを送ればいいだ
けの話なのだから。

　よって、私たちがいま利用しているのは、「完璧ではないが、
事実上破ることができない暗号化メカニズム」なのだ。

2、破られない暗号

　最近では、暗号化技術の利用はあたりまえになった。しか
もたいていは私たちの知らないうちに暗号化されている。

　コンピュータのハードドライブ内のデータは、ウィンドウズも
Mac OSもAESアルゴリズム［2000年にアメリカ連邦政府の標準規格と
して採用された暗号方式］で暗号化される。メッセージアプリのテレ
グラムはRSA暗号［素因数分解の仕組みを利用した、暗号鍵と復号鍵が
別々になった「公開鍵暗号方式」のアルゴリズムの一種］を、ワッツアップ
は楕円曲線暗号［1985年に発明された楕円曲線を利用した暗号アルゴリズ
ムの総称で、公開鍵暗号として利用されている］とCurve25519アルゴリズ
ム［さまざまな暗号アプリケーションに適した楕円曲線。暗号強度がわずか128ビ
ットでありながら、強固なうえに高速処理が可能］をそれぞれ採用している。

iPhoneのiMessagesはAESを使っている。オンラインバンクはECDHE［楕円曲線ディフィー・ヘルマン鍵共有。楕円曲線を用いた鍵共有の方法］、ECDSA［楕円曲線デジタル署名アルゴリズム。楕円曲線を使った公開鍵暗号］、AESなどのアルゴリズムとプロトコルを基盤とするTLS［Transport Layer Securityの略。TCP/IPネットワークでデータを暗号化して送受信するプロトコルのひとつ。公開鍵認証や共通鍵暗号、ハッシュ化などの機能により、送信者と受信者のあいだでやり取りされるデータが第三者に盗聴されるリスクを防ぐ］による暗号化であなたの口座データを守る。

　上記の方法はどれも、可能性のあるすべてのキーを試して暗号を破ろうとしてもびくともしない暗号化技術を用いている。考えうるすべてのキーを試すのは（ワンタイム・パッドとは異なり）理論上は可能だろうが、その組み合わせは膨大な数にのぼるため、現実的な方法ではない。

　膨大な数とはいったいどれくらいかって？　では、あなたが友人に送ったワッツアップのメッセージの暗号を攻撃者が解読しようとしていると仮定しよう。考えられるすべての暗号化キーを試すことに決め、そのために高性能コンピュータを購入しようとする攻撃者がいたとすると、彼はスーパーコンピュータを含む世界のコンピュータをひとつ残らず総動員しなければならない。

　それらのコンピュータを使って全部のキーを試せばメッセージの暗号は解読できるかもしれない。ただ、それにはものすごく長い時間がかかる——太陽の力が弱くなり、やがて死んでしまうくらいまで。太陽が死んでしまったら、あなたのメッセージどころではなくなるだろう。だから、理論上可能であろうと、暗号は事実上破られないのだ。

3、暗号化システムは犯罪者も守る

　正しく実装された暗号化システムを破ることは不可能だ。だが、こうした堅牢性が逆に問題を引き起こす場合もある。法

を遵守する市民同様、犯罪者も同じシステムを利用するからだ。サイバー犯罪の犯人が見つかって逮捕されたとしても、犯罪者のコンピュータに残された証拠が暗号化されていたら、手出しができない。犯罪者であっても、よく利用するのはビットロッカー（BitLocker）［ウィンドウズに標準搭載されている、記憶媒体をドライブ単位で暗号化できる機能］、ファイルヴォールト（FileVault）［Mac OSに標準搭載されているディスクの暗号化機能］、PGP［Eメールの暗号化のための一般的な標準規格である公開鍵暗号化の方式］、テレグラム、iMessage、シグナルといった一般的な暗号化機能である。

　そんなとき、法執行機関は以下の方法で犯罪者によって暗号化されたファイルを開く。

・犯罪者を逮捕し、彼らのデバイスのロックを解除する
・犯罪者を取り調べて、パスワードを教えるか暗号化を解除するよう説得する
・逮捕前に犯罪者の行動をひそかに録画し、映像をもとに正しいパスワードを推測する
・逮捕前に犯罪者のコンピュータにマルウェアとキーロガーを仕込む
・コンピュータでさまざまなオプションを試してパスワードを解読する

　もっとも簡単なシナリオはコンピュータやスマートフォンをロックする隙を与えないよう、サイバー犯罪者を現行犯逮捕することだ。そうすれば警察は犯罪者のコンピュータにあるファイルを直接調べて、鍵がかかっていないオンライン上のやり取りを知ることができる。
　容疑者に自らデバイスをロックさせないのはもちろん、電源が切れてもいけないし、一定時間何の操作も行われないと自動ロックがかかる設定になっているデバイスも多いため、これ

も防がなければならない。場合によっては、ロックされないように容疑者のコンピュータのマウスを一分おきに動かしたり、スマートフォンの画面に触ったりする役割に専念する警察官がいるくらいだ。USBポートに差し込むとマウスの代わりに自動でカーソルを細かく動かし、コンピュータが自動ロックされるのを防ぐ機能があるマウス・ジグラーと呼ばれる製品も売られている。

　逮捕の際、たとえわずかでも事件との関連があると見なされれば容疑者が保有するすべての装置は押収され、警察の科学捜査研究所による分析が行われる。コンピュータ以外の電化製品も対象となり、念のためゲーム機やスマートテレビまで押収される場合もある。運ぶ際も警察は容疑者のコンピュータを動かし続けなければならず、そのためのポータブル電源を用意している。なかでもデスクトップコンピュータは一秒たりとも電源を切るわけにはいかないので、特別な手配が必要になる。そのために、コンピュータの電源ケーブルの絶縁体を剥ぎ取り、別の電源供給装置に接続するのだ。これはコンピュータが起動中でAC電源に接続しているときに行うべき作業であり、家でまねをしてはいけない。

　デバイスのスイッチが入った状態で容疑者を逮捕できない場合、事前にどうにかしてパスワードをつきとめるのが次の策だ。刑事事件なら、一般に警察には容疑者をひそかに撮影する許可が与えられる。容疑者がノートパソコンやスマートフォンを開く、あるいはファイルの暗号を解除する様子を録画し、スローモーションやクローズアップ機能を駆使すれば、たいていはパスワードやPINを判読できる。パスワードを入力する動画をいろいろな角度から複数撮影できれば、その可能性はとくに高い。

　容疑者の自宅を撮影する許可が下りることもある。警察官が侵入し、コンピュータのスクリーンとキーボードが映せる位

置に隠しカメラを設置するのだ。

　スマートフォンのパスコードは、スクリーンが撮影できなくても特定できる可能性がある。2013年に中国のある大学の研究者らがスマートフォンを見ている人の顔を撮影し、瞳に映り込んだ画像を解析して、その人が画面に何を入力しているかわかることを実証したのだ！　デジタル一眼レフカメラと望遠レンズが必要ではあったが、テストではほぼ毎回スマートフォンのロックを解除するコードを判読できた。

　スマートフォンの指紋認証や顔認証といった生体認証の導入は、犯罪者を逮捕する警察にとって新たな問題を生み出した。ロックがかかっている場合、容疑者の指をセンサーやボタンに当てて、あるいは容疑者の顔をカメラに近づけてスマートフォンを開くことを、警察は認められているのだろうか？　答えは各国の法律によって異なるが、フィンランドではそれは合法とされている。

　2017年に議会オンブズマンが下した決定の一部を以下に引用する。これを読めば、警察がどうやって容疑者のスマートフォンのロックを解除したのかがわかる。

　スマートフォンの指紋センサーに指を押し当てるのに必要な力が加えられる旨が、容疑者に伝えられた。容疑者は警察官に「くたばっちまえ」と言って、その措置に同意しなかった。
　待機房のベッドに腰かけていた容疑者は、一連の手順が始まると、注意深くマットレスに寝かされ、動けないように押さえつけられた。容疑者は身体をよじり、手を握りしめたまま強く抵抗した。それでも握りこぶしは徐々にほどかれていき、まずは親指、それから人差し指がスマートフォンに当てられ、ロックが解除

> された。
>
> 措置は5名の警察官で行われた。ふたりは容疑者の両手をうしろに回し、ひとりが容疑者の後頭部を押さえ、あとのふたりは容疑者の足をつかんだ。

関連する法制は国によって大きく異なる。2019年、米国の地方裁判所はフィンランドの議会オンブズマンとは正反対の立場をとり、スマートフォンのロック解除に容疑者の指紋認証も顔認証も使用してはならないという判決を下した。

話は変わるが、iPhoneのフェイスIDを利用している人は、サイドの電源ボタンを五回連打すると、大半のモデルでフェイスIDを一時的に無効にできる。スリがうようよいる狭い通りに思い切って行ってみる、あるいはパトカーがあなたの前に止まり、あなたのスマートフォンが犯罪の証拠でいっぱいであるといったときには、有効な知識だろう。

🔒 データは新しいウランである

データは力。データは金。データは新しい石油……データはさまざまなものに例えられるが、もっともふさわしいのは「ウラン」だろう。

ウランはきわめて価値のある、危険な物質だ──データと同じように。ウラン1ポンドの価格は同じ重さの銀よりも高く、そこから出る放射線はほぼ永久的に人間にとって致死量である。長期保存はかなり難しい問題だ──データと同じように。長年利用可能な状態を維持しつつ、秘密を保持して安全に情報を保存するにはどうすればいいのだろう？　ほとんどの情報は、それ相応に時間がたてば機密ではなくなる。現在は一般的な通信の秘密は守られていると考えられるし、大半のメールは

20年もたてば公表されても問題にならないだろう。機密もやがては過去の情報になるからだ。ただし、すべての情報にそれがあてはまるわけではない。たとえば医療情報はもっと長い期間機密扱いされている。

情報を最後まで責任をもって取り扱うことの難しさを、私たちはきちんと理解できていなかったのかもしれない。どうすれば、秘密を保持しながら何十年ものあいだ情報を保存できるのか? 情報の正しい最終処分の方法とは何だろうか?

正しいウランの最終処分もまた、同じような困難を伴う。フィンランドでは1994年にオンカロ(Onkalo)と呼ばれるプロジェクトが開始された。これは多くの点で、とりわけその実行期間に関して、ほかに類を見ないプロジェクトだ。というのも、完了するのが2120年なのである。フィンランドのエンジニアが五世代にわたって取り組み、1990年代にプロジェクトの計画立案に尽力した人たちの玄孫(やしゃご)に当たる世代の若いエンジニアが、完了セレモニーに出席するのだろう。

オンカロはフィンランドの西海岸、オルキルオト島にある放射性廃棄物の最終処分施設である。放射性廃棄物は銅製の容器に入れられ、地下0.25マイルの岩盤中に埋めて処理される。オンカロが放射性廃棄物でいっぱいになるのが約百年後。そのときが来たら施設は閉鎖されるという。

プロジェクトが完了したとき、つまりオンカロが満杯になって閉鎖されるとき、ひとつの興味深い問題がもちあがるだろう——施設の入り口の扉に、どんな看板を設置すればいいのだろうか?

埋まっている放射性廃棄物が安全な状態になるまで十万年以上かかると言われているが、そこまで先の時代がどのようになっているかは、なかなか想像がつかない。最終氷期が終わってからだって、1万1000年ほどしかたっていないのだ。つまり、廃棄物が完全に無害になるまでに、オンカロはこれから氷河

期を何度か経験し、そのあいだ廃棄物は地下0.25マイルの氷の中に埋められたままになるわけだ。

となると、「DANGER—ACHTUNG—PELIGRO—ОПАСНОСТЬ—危険」[「危険」を意味する英語、ドイツ語、スペイン語、ロシア語、中国語]と書かれた看板を置いたところで意味がないかもしれない。10万年後のオルキルオトに人が住んでいるとしても、いま私たちが使っている言語を誰も理解できないに決まっている。

ピクトグラムを使っても問題は解決しないと思う。ドクロや骸骨のマークを見た未来の人たちは、それが何かはわかっても、その意味を真面目に受け止めないかもしれないからだ。エジプトのピラミッドの扉に「入った者は呪われる」と書かれていても、私たちがまったく意に介さないのと同じだ。そうした警告を現代人は無視し、笑って通り過ぎている。

私たちが石器時代の人間を見るように、未来の人間は私たちを見るだろう。私たちの行動の意味を、彼らに真剣にとらえてもらうのは無理なのだ。未来の世代への警告はどんな手段をとっても失敗に終わり、メッセージを残せばかえって人々の興味を引き、最終処分施設の周囲をうろつき回る人が増えるだけだ。何のしるしも残さずにオンカロを閉鎖し、忘れてしまうのが最善の策なのかもしれない。

🔒 ヴァスターモ事件

ヴァスターモの情報漏洩は、その規模と悪質性において前例のない、私のキャリアのなかでももっとも重要な事件のひとつだ。被害者は全員フィンランドの居住者だったが、国際的にも重大な事件と言える。警察への被害報告の数では、フィンランドの犯罪史上最大の事件でもある。

ヴァスターモは2008年に設立された民間の精神療養施設だ。

十数年のあいだに250名のセラピストを抱えるまでに成長した
が、何かが忘れられていた。患者データベースと顧客情報の
保護が不十分だったのだ。

　2018年、正体不明の攻撃者がヴァスターモの患者データベ
ースをオンラインで見つけ、盗んだ。データベースには3万
1980人の患者の個人情報──氏名、住所、個人識別番号、
メールアドレスなど──が含まれていた。そこには、患者との
やり取りに関するセラピストのメモもあり、患者の人生に起き
たさまざまなできごとが記録されていた。幸せな思い出もある
が、大半は悲しいできごとだ。うつ病、不安、結婚生活の問
題、薬物乱用、依存症、離婚、死の恐怖。治療中、患者
はほかでは言えないような問題について話をする。セラピスト
は話を聞きながら、患者が子どもや配偶者、兄弟姉妹、上
司など、いちばん身近にいる大切な人たちをどう思っているか
を書き留める。さらに悪いことに、患者のなかには子どももい
た。

　このような医療情報は、きわめて慎重に扱わなければなら
ない。言うまでもなく健康状態に関するデータやカルテは個
人情報だが、湿疹が出るとか痛風で薬を服用しているというよ
うな話であれば、人に知られたとしても少しきまりが悪いくらい
ですむ。ましてやそれが20年前の話なら、なおさらどうという
ことはない。しかしながら、精神療法で話した内容がよそに漏
れたら、何十年たっていようが痛手はものすごく大きいはずだ。
というわけで、本件でも、盗まれた情報は脅迫に使われた。

　医療情報を安全に保存するのは非常に難しい。すべての公
立および民間病院、医療センター、クリニックが機密情報を
何年も何十年も保護し続けられるよう、万全の手を打つには
どうすればいいのだろうか？

5

プライバシーの死

1、患者のデータベース

　ヴァスターモは保管していたデータを守ることができなかった。そのデータシステムは組織内で構築されたもので、患者のデータはMySQLサーバに保管されていたが、そのサーバが二年以上も前から公衆インターネット上にあったのである。

　保管があまりにお粗末だったせいで、ヴァスターモの患者のデータベースは少なくとも二度外部に漏洩した。脅迫に使われた情報は2018年に盗まれていたもので、漏洩が気づかれないまま放置されていた。その後、ネットワークスキャンツールを使ってヴァスターモのシステムを発見した者によるとみられるデータ漏洩が2019年3月に起きたが、それにはヴァスターモもさすがに気がついた。スキャナーが保護の不十分なシステムを発見するのは、時間の問題だ。2019年のデータ漏洩はヴァスターモでさえもわかったくらい手際が悪かったため、盗まれた情報は多くはなく、患者データベースは安全な場所に移された。ヴァスターモはきっと騒動は収まったと考えただろうし、患者データが危険にさらされたという報告もなかった。投資会社がヴァスターモの過半数の株式を購入した2019年6月にも、データ漏洩の件は言及されなかった。

　すべてが崩壊したのは2020年9月28日のことだ。「ランサム_マン」を名乗る攻撃者から、ヴァスターモの上層部にメールが送られてきた。ランサム_マンは、40ビットコインを支払わなければ患者のデータをオンラインに公表すると脅迫した。当時のレートで50万ドルに相当する額だ。ヴァスターモは警察に通報し、攻撃者と交渉した。どうやら、ヴァスターモの経営幹部は何らかの形で身代金を払おうと考えていたが、社内で意見がまとまらなかったらしい。

　2020年10月21日水曜日、この事件は世に知れ渡ることになった。その日の早朝、攻撃者は行動を起こした。まず、Tor秘匿サービス〔TorはThe onion ronterの略で、サーバのIPアドレスを隠すこ

とでサービス提供者を匿名化し、インターネット上で秘匿性の高い通信を行うことができるシステム〕ネットワーク上にサーバを設置し、患者のデータをそこに漏洩した。次に、フィンランド語で運営されている三つの掲示板「イリラウタ（Ylilauta）」、「トリラウタ（Torilauta）」、そしてレディット上のスレッド「/r/suomi」に公開メッセージを残した。レディットで、攻撃者はユーザー名「/u/vastamo」を名乗った。トリラウタでは「ransom_man##HIbGCf」という名が使われた。この場合、「HIbGCf」はほかの誰も使用できない独自の識別子の役割を果たしている（特殊な嗅覚のある猟犬のようなものだ）。それによって、会話に参加する人は攻撃者を名乗る人物がまちがいなく本人であることを確信した。

攻撃者は、ヴァスターモが身代金を支払わなければ患者のデータを公開すると、英語で短い脅迫メッセージを書き残した。また、個人のメールアドレスをメディアにも送り、この事件に対する注目度を高めてヴァスターモにプレッシャーをかけようとした。

攻撃者は「tutanota.com」のアドレスを使っていたが、事件の発覚後にすぐに閉鎖されたため「cock.li」の匿名アドレスに切り替えざるを得なくなった。そのほかに、攻撃者はプロトンメール（Protonmail）サービスを使ってヴァスターモやジャーナリストにメッセージを送った。

2、ばらまかれた情報

攻撃者が利用したサービスは、すべてに暗号化が施されていた。Torネットワーク、Tor秘匿サービス、匿名メールサービス、ビットコインはどれも、ユーザーを保護するために作られている。とくにTor秘匿サービスは、ネットワークサーバの物理的な位置が特定されないようになっている。サーバが見つからなければ捜査はできないし、サーバ内の情報をオフラインで入手することもできない。Torネットワーク上の情報は通

常のウェブ上の情報のようには容易に見つけられないが、Tor
を使うこと自体は難しくない。Torネットワークに入るには、ア
ップストアかグーグルプレイからTorブラウザをスマートフォンに
インストールするのがいちばん簡単だ。

　レディットとイリラウタは脅迫者のメッセージをただちに削除
したので、その後のやり取りはトリラウタで行われた。2017年
に作られたトリラウタは、Torネットワーク上にあるフィンランド
の掲示板で、主なトピックは違法薬物だった。トリラウタはフ
ィンランド人ユーザー向けに作られており、外国のスパマーを
入れないようにしていた。そのため、投稿するには言語テスト
に合格しなければならない。テストは、ランダムに選ばれた五
つの文のリストからフィンランド語の文を選んでメッセージを確
認するというもの。選択肢にはフィンランド語の文もあればエ
ストニア語の文もあった。外国人がこれらの言語を区別する
のは容易ではない。テスト結果だけでランサム_マンが100%フ
ィンランド人だと断じるわけにはいかなかったが、国籍を推測
するための根拠のひとつになったのはたしかだ。

　ランサム_マンはメッセージのなかで、自分をこの種の脅迫
に手慣れていて、今回たまたまフィンランドの精神療養施設を
ターゲットにした国際的なギャングに属する、自信たっぷりの
サイバー犯罪者として印象づけたがっているように思えた。脅
迫通り、ランサム_マンは毎朝100人分ずつ、患者の治療に関
する詳細な情報を公開した。水曜日に100人、木曜日に100
人、金曜日に100人と、合計300人の罪もないフィンランド人
のデータがオンラインにさらされたのだ。多くのインターネット
ユーザーは漏洩した情報をあえて読まないようにしたが、食い
入るように読んだ人々もいた。被害者は一般人のほか、著名
人や政治家もいた。

　この事件はたちまち、過去に例のない脅迫事件として国内
外を問わず大々的に報じられた。はっきりさせておきたいのだ

が、これはトロイの木馬型ランサムウェアとは無関係の、明らかな脅迫事件だ。攻撃者はデータを暗号化したわけではなく、盗んだあげくに情報をそのまま流出させたのだから。

　ところが、時がたつにつれて自信にあふれたベテラン犯罪者のイメージは崩れていった。ランサム_マンがボロを出しはじめたのだ。

3、「vastaamo.tar」

　ヴァスターモの患者の情報がさらされてから三日目、金曜日の朝に、私はフィンランドのテレビ局MTVが放送する朝のニュース番組でこのデータ漏洩事件に関してコメントする予定になっていた。スタジオに入るちょっと前、午前7時20分ころ、最新の状況をチェックした私は、攻撃者のTorサイトに「vastaamo.tar」（TARはZIPと同様に、複数のファイルをまとめて処理するアーカイブフォーマット）という名の新しいファイルがあるのに気づいた。目を引いたのは、そのファイルの大きさだった。それまでランサム_マンがTorサイトにアップしていた患者のデータファイルのサイズは、それぞれ2〜100キロバイトとさまざまだった。ところが、「vastaamo.tar」ファイルは10.9ギガバイト、つまり1090万キロバイトと巨大だったのだ。私がニュースルームを出たときには、ランサム_マンのサイトは消えていた。インタビューを受けているあいだに、彼はサーバの電源を切ったか、ネットワーク接続を断ったかしたのだろう。

　その日のうちに、何が起きたのかが明らかになった。午前3時、公開済みの300人の患者データを一度に全部ダウンロードできるように、ランサム_マンはTARファイルをサーバにアップした。ところがこのとき、彼は「vastaamo.tar」という同じ名がついたふたつのファイルを取りちがえ、アップするべきではないほうをアップしていたのだ。ひとつは300人分の患者のデータが収められたtxtフォーマットのTARファイルで、もうひとつ

はランサム_マンが使用していたサーバコンテンツのバックアップファイルだった。このバックアップファイルには攻撃者が絶対に公開したくない情報——サーバの利用ログ、パスワード、ソースコード、そしてヴァスターモのデータベースがそっくりそのまま——が含まれていた。このバックアップファイルがオンラインに存在したのは、午前3時から午前7時30分くらいまでのあいだである。

　攻撃者はトリラウタに「やっちまった。でかいTARファイルは好きなように使ってくれ」と題した投稿をアップして、自分が犯したミスについてコメントした。脅迫者にとって、身代金を要求するために持っているファイルをうっかり全公開してしまうほど致命的なミスはないだろう。TARファイルは大きすぎたため、サーバがシャットダウンされるまでに全部をダウンロードできた人はいなかった。Torネットワーク上ではすべてのデータ送信は意図的に複数のサーバを経由して実行されるので、時間がかかるのだ。とはいえ、治療記録が保存されたデータベースを含むファイルの一部をどうにかダウンロードできたユーザーは何人かいた。

　vastaamo.tarには、捜査に役立ついくつかの手がかりと有力な証拠が含まれていた。ファイルの一部が流出したことで、ランサム_マンを見つけられる可能性は高まった。だが、この一件からは、ランサム_マンが自分の正体を知られないためのさまざまなテクノロジーの使用にかなり長けていることもうかがえた。

4、脅迫メッセージ

　ファイルをまちがってアップしてしまったランサム_マンは、慌てたのか戦法を変えた。土曜日の朝、ヴァスターモの患者数万人のもとに脅迫メールが届いた。そこには完璧なフィンランド語で「200ユーロ支払わなければ治療記録を公開する」と

書かれており、ビットコインで送金する手順まで細かく説明されていた。しかも、ランサム_マンは、身代金の支払いにフィンランドのビットコイン取引所ビッティラハ（Bittiraha）を使うよう推奨した。彼は患者ひとりにつきひとつ、合計数万ものビットコイン・アドレスを作成していた。以下に脅迫メールの一部を抜粋する。

ニュースを見てすでにご存じとは思うが、我々はヴァスターモの患者データベースに侵入し、セラピーや精神科の治療を受けた患者であるあなたに連絡している。ヴァスターモの経営陣は自分たちが犯したミスの責任をとることを拒否したので、あなたの個人情報の安全を守るために、我々はあなたに金を要求しなければならない。次の指示に従って、ビットコインで200ユーロを我々のアドレスに送金せよ。いまから24時間以内にこちらが200ユーロ相当のビットコインを受け取ったら、あなたのデータは我々のサーバから永遠に削除される。

24時間以内に金が支払われなければ、あなたにはさらに48時間の猶予が与えられるが、その場合は500ユーロ相当のビットコインを送れ。期限内に金が届かなければ、あなたの名前、住所、電話番号、個人識別番号のほか、ヴァスターモのセラピスト、精神科医との会話の内容を含む情報は公開され、誰でも見られるようになるだろう。

ビットコインの購入について：フィンランドの取引所「ビッティラハ」なら簡単にビットコインを購入できる。https://bittiraha.fi/osta にアクセスして連絡先情報

を入力後、トップに表示されている「合計」欄に支払額（200ユーロ／500ユーロ）を入力する。フォームの三つめの欄「あなたのビットコイン・アドレス」に、我々のアドレス「9JeUqJXu3u3Shf2ArBMZfc232PvD」をコピペする。このアドレスはあなた専用なので、あなたに代わって支払いを行う人を除き、ほかの人には絶対に教えないように。

　その週末、数万の患者が難問を突きつけられて苦しむことになった。身代金を支払うべきか？　金を払わなければ、脅迫者は本気でデータを公開するつもりだろうか？　個人情報が盗まれている場合に備えて、クレジットカードを利用停止にしたほうがいいか？　個人識別番号がネットに流出したら、どうすればいいのだろう？

　フィンランド警察には2万5000件を超える被害の報告があった。被害者の数でみると、これは個人の犯罪としてはフィンランド史上最大の事件だ。現実世界で、数万人が同時に被害に遭う犯罪が起きるとはあまり考えにくい。これはオンラインでなければ起こり得ない犯罪だった。

　私たちは、脅迫者につながるお金の流れを追跡しようと試みた。私は身代金を支払った人たちに向けてメッセージを公開し、送金先のビットコイン・アドレスを教えてほしいと頼んだ。私はツイッターにこんなメッセージを投稿した。

　#ヴァスターモのデータ漏洩の被害者のみなさんへ。私たちはこの事件で身代金が支払われたビットコイン・アドレスを収集しています。お金の流れを追跡したいのです。ヴァスターモの被害者で、身代金を支払

った方、ご連絡をお待ちしています。私のメールアド
レスはプロフィールに記載されています。よろしくお
願いします。

　100人ほどの被害者が私に連絡をしてきた。そのうちのひと
りは若い女性で、身代金を支払ったと告白するのは怖かったと
メールには書かれていた。数日前に、私はテレビで「お金を
払ってはいけない」とアドバイスしたばかりだったのだ。私は
返事を書き、犯人の追跡に協力するために連絡をくれた勇気
に感謝し、ダメだと言われても身代金を払ってしまう人の心情
はよくわかる、とつけ加えた。

　意外なことに、多くの人たちは身代金を支払いたいと思い
ながらもそれができなかった。初心者がビットコインを送金す
るのは、思ったほど簡単ではないのだ。しかも、ビッティラハ
はフィンランド国家捜査局の要請で送金の一部を停止していた。
よく考えてみれば警察にその権限はなかったのだが、とにかく
ビッティラハはそれに応じたのだ。

　最終的に、私は送金に使用された33のビットコイン・アドレ
スを把握した。ビットコインのブロックチェーンは公開されてい
るので、お金の流れを追跡することができた。2020年10月29
日に、脅迫者は脅し取ったお金をよそに移しはじめた。それか
ら数日後、脅迫者は闇の両替所の店頭取引（OTC）でビットコ
インをドルに換えた。その額はばかばかしいほど少なかった。
これほど多くの被害者を巻き込んだ非情な犯罪で加害者が手
にしたのは、たったの数千ドルだった。

5、TARファイルを捜せ

　ヴァスターモの患者データベースは事件の重要な証拠だっ

たが、それを所有するのは倫理的に問題があるし、おそらく違法だろう。いくら事件を調べるためであっても、被害者の治療に関する情報を見るのはためらわれた。そのため、私たちは、あえてランサム_マンのサーバからファイルをダウンロードしなかった。エフセキュアのITセキュリティ部門の責任者も、そうした情報を会社のコンピュータに保存するのを禁止すると明言した。いまになってみれば、それは明らかにまちがいだった。事件が起きたときは、できる限りの証拠を集めるべきなのだ。不必要で違法な情報はあとからいくらでも削除できる。

　攻撃者がうっかり公開してしまったTARファイルのコピーがエフセキュアの社内にないとわかったとき、私は自分たちのミスに気がついた。だが幸いにも、事件の調査を委託されていたITセキュリティ会社ニクス（Nixu）のリサーチャーから一部のコピーを手に入れることができた。彼らは手元にあるすべてのデータを送ってくれた。顧客や患者のデータはいかなる状況においても共有してはならないが、一緒にバックアップファイルに入っていた攻撃者のデータを共有することは問題なかった。

　ファイルの内容にどれだけ価値があるかを知って、私はもっと多くのファイルを手に入れようと考えた。少しでも長い時間vastaamo.tarをダウンロードした人がいれば、そのぶんだけ証拠も多いと言えるだろう。そのファイルには攻撃者を捕まえるのに役立つ重大なヒントが隠されているかもしれない。私は一般のインターネットユーザーたちの力を頼ることに決め、異例ではあるが、フィンランド版4chanであるイリラウタで協力を呼びかけた。

　こんばんは。私はミッコ・ヒッポネンと申します。私たちはヴァスターモ事件の調査を継続しており、みなさんにひとつお願いがあります。

2020年10月23日朝、脅迫者「ランサム_マン」が重要な証拠の入った大きなファイルvastaamo.tarを不注意によりサーバで共有しました。ファイルには数万人の被害者の治療記録も含まれていますが、それらは調査には必要ありません。ただ、TARファイルの中にあるそれ以外のデータ（ソースコード、ウェブアドレスなど）はランサム_マンにたどりつく手がかりになるかもしれません。

弊社の調査担当者はファイル全体を入手することができず、一部しか保存できていません。ランサム_マンのTorサーバ上でvastaamo.tarがダウンロードできたのは、2020年10月23日の数時間（午前3時から7時30分まで）だけでした。ファイルサイズは10.92GB（109億1791万2000バイト）です。

トリラウタには「10.92GBのファイル全体をダウンロードした」という投稿がありました。また「接続が切れるまでに5.64GBダウンロードした」と話す人もいました。そうしたファイルを入手できれば、リサーチャーにとってたいへん有益なヒントになるでしょう。もしvastaamo.tarファイルのコピーを数ギガバイト分でもお持ちでしたら、ご連絡ください。私のメールアドレスはmikko.hypponen@f-secure.com、ウィッカーのユーザー名はmikkohypponenです。送っていただいたファイルは当局に提出し、情報提供者の身元は明かしません。ご希望でしたら、TARファイルから患者の記録を削除してもかまいません（ディレクトリ名はtherapissed/patients）。

イリラウタ上では会話が盛り上がった。私は数十通のメッセ

ージを受け取ったが、そのなかの数人が実際にTARファイル
のコピーの一部を持っていて、うちふたつが提供された。だが、
TARファイル全部のコピーを手に入れることはできず、私たち
はいまもなおより大きなファイルのコピーを求めている。

　患者のデータがこれ以上拡散しないようにと願っていたが、
残念ながらそれはかなわなかった。漏洩から三か月後、身元
不明の個人がヴァスターモから盗まれた患者3万1980人分の
データをひとつのアーカイブファイルに収め、誰でもファイルを
ダウンロードできるウェブサイト、アノンファイルズ（Anonfiles）
に送ったのだ。

6、罪なき被害者

　多くのセキュリティ侵害とは異なり、この事件では被害に遭
ったユーザーは何ひとつまちがったことをしていなかった。ヴァ
スターモの患者が情報漏洩を防ぐのは無理だっただろう。また、
ヴァスターモのセラピストにも罪はなかった。彼らもやはり悪
いことは何もしておらず、患者同様に被害者だった。自分の書
いた治療記録が悪人の手に渡ったと知ったときの恐怖や、職
業倫理からくる罪悪感は並たいていのものではなかったはずだ。

　それでも、この事件が精神療法につきまとう恥や不名誉の
イメージをいくらか軽減するのに役立ったことだけはたしかだと
思う。ヴァスターモはフィンランドに数ある民間クリニックのひ
とつだが、フィンランドの人口のおよそ1％もの人々が患者とし
て通っていた。助けを求めるのは恥ずかしいことではない。痛
いと思ったら専門家の診察を受けるべきだ。それが足であろう
と、心であろうと。

　トロイの木馬型ランサムウェアの標的になった病院は過去に
もあったが、患者が直接身代金を要求されたことはほとんどな
かった。あったとしても、ターゲットはたいていが美容整形ク
リニックで、整形手術の前と後に撮られた写真をネタに脅しを

かけるというやり方だった。それだってかなり悪質だと言えるが、精神療法セッションの記録となれば情報の繊細さのレベルがまったく異なる。

ヴァスターモの事件がほかに類を見ない理由はもうひとつ、この事件で会社がつぶれたからでもある。ランサム_マンが事件を公にしてから三か月後、ヴァスターモは破産を申し立てた。どれほどひどい被害を被ったとしても、一般的にハッキングされて倒産に陥る企業はほとんどなく、これは非常に珍しいケースだ。

すでに落ち込んでいる人を蹴り飛ばすようなまねは決してしてはならない。そんなことをするのは卑怯者だけだし、まさしくランサム_マンは卑怯者以外の何者でもない。たかだか数千ドルのために、彼は患者にもセラピストにも計り知れないほどの苦しみを与えたのだ。

この事件が起きる前にも、医療情報のセキュリティに関する質問を受けることはあった。私はいつも「医療情報はサイバー犯罪の主要なターゲットではありません」と説明し、データ漏洩を懸念する人たちを安心させたものだ。犯罪の動機はたいていがお金なので、医療情報よりもクレジットカードや銀行の情報をねらうほうが手っ取り早い。気分的には医療記録を盗まれるほうがクレジットカードの番号を盗まれるよりも嫌だが、犯罪者は後者を好むのだ、と。だが残念ながら、もうそうは言えなくなった。同様の脅迫事件が頻発しないことを願うばかりだ。

ヴァスターモの事件で、私はそれまでに起きたどんな事件よりも張り詰めた日々を過ごした。電話はひっきりなしに鳴り、何百もの情報が提供された。そういうときは、アドレナリンレベルが上昇し、いつまでも眠れなくなる。

事件の発生から約二週間が過ぎたころ、私はフィンランド

の金曜朝のラジオ番組にゲスト出演した。その際に身代金を
支払ったことを正直に打ち明けるのを怖いと思いながらも連絡
をくれたあの若い女性の話をしたのだが、生放送のラジオ番
組で私は感極まって涙してしまった。このとき、私は自分がひ
どく疲れていると実感した。その週末、私はスマートフォンの
電源をオフにして過ごした。ランサム_マンの捜索はまだ続いて
いる。

CHAPTER 6

暗号通貨の時代

今後、あらゆる取引の形は大きく変わっていくだろう。ビットコインをはじめとする暗号通貨の出現は技術としての各論的には素晴らしいが、一方で問題も引き起こす。インターネットが生まれたときとまったく同じ状況だ。ブロックチェーンはどのように機能するのか、そして人々はなぜ、リアルなマネーを払って暗号通貨を手に入れようとするのだろうか？

🔒 通貨の価値とは何か

「完全な仮想通貨」の開発はずいぶん前から進められてきた。ウェブの初期には、デジキャッシュ [1989年に暗号学者デビッド・チャウム博士により設立されたオランダの電子マネー会社。1998年に破産申請し、イーキャッシュ・テクノロジーズに買収された] という企業が開発した「イーキャッシュ（eCash）」[高度な電子暗号技術の利用により匿名性やセキュリティが守られているネットワーク型の電子マネー。当時の欧州ではクレジットカード取引よりも現金取引が多く、電子マネーによるマイクロペイメントが理にかなっていると考えられたが、米国の多くの消費者にとってはクレジットカードのほうがなじみがあった。また、クレジットカードはネットショッピングに限らず広い場面で利用可能なのに対して、イーキャッシュの場合利用できるのがネット上に限定されていたことなどから、普及するには至らなかった] のテクノロジーが話題となった。この完全なデジタル・オンライン通貨は1990年代半ばに試験導入が開始されたが、技術的な問題 [原文ではその理由は具体的に挙げられていないが、ジョンズ・ホプキンス大学のサイバーセキュリティ研究者であるマシュー・グリーンは2018年のEurocrypt（暗号通貨に関する国際カンファレンス）での講演において、イーキャッシュが分散型のブロックチェーンとちがい、電子マネーの発行にあたって信頼できる第三者としての銀行が関与する中央集権型のシステムであったこと、そのために銀行の脆弱なインターフェイスに頼らざるを得なかったこと、1994年からEUの規制が厳しくなったことなどを挙げている] にぶつかった。しかも、既存の銀行やクレジットカード会社が、できる限りの手を使って新しいプレイヤーの参入を阻止しようとした。

仮想通貨に本質的価値 [ここでは金融市場において、オプション取引（その日までにあらかじめ決めた売買価格で取引すること）の際に生まれる市場価格との差額分の価値あるいは利益を指す。売り手はいわゆる胴元のような存在になるため、これも中央集権型モデルといえる] はない。一方、ドルやユーロ、ルーブルなど、従来型の通貨にももはや実質的な価値はない。通貨の価値が国の金保有量を基準に決められていた時

代があったが、それは何十年も前のことだ。要するに、たとえば100ドル札は、「それに100ドルの価値がある」という社会的合意の表象にすぎないのだ。

現在利用されているデジタル通貨のほとんどは、ブロックチェーンをベースにしている。そのなかでもっとも有名なのは、ビットコイン通貨のブロックチェーンだ。このブロックチェーンが発表されたのは2008年10月だが、作成者はいまだに判明していない。ビットコインはほかのタイプの資産とは性質を異にしながら、従来からある通貨と同じように支払いに利用できる、まったく新しいタイプの通貨になるだろう。わけても特徴的なのは、ビットコインは自由かつ分散型の、つまり発行主体のいない、外部から管理されにくい通貨であるという点だ。ビットコインが依拠するのは数学だけなのだ。

🔒 ブロックチェーン

革命的な発明と言われてきたもののほとんどは、ありふれたものに見える——もちろん、発明されてから時間がたっているからなのだが。だが、私たちがそれを受容する前の段階においては、それらは私たちの直感と相容れないものに見える。ブロックチェーンもそんな発明のひとつだ。ブロックチェーンは、簡単に言うと取引のデジタル・リストである。取引がリストに追加されてしまえば、リストは修正も削除もできず、リストに記録された取引記録は常に公開されている。それだけのシンプルなものだ！

上書き不可能な取引の公開リストなんて、革命的な発明とはおよそ無関係に聞こえるが、現にブロックチェーンはそういうものだ。このようなシステムの構築は難しく、高度な数学の知識が求められる。ブロックチェーンは、発生した取引のデータを「ブロック」と呼ばれる記録の単位に格納し、それを時

系列に鎖（チェーン）が連なるように保存する技術である。個々のブロックには取引内容に加え、直前のブロックの内容を示すハッシュ値と呼ばれる情報も書き込まれており、いわば入れ子構造になっている。暗号化された電子署名によって、ブロックチェーン内のデータに鍵をかけることができる。新しいブロックには、それまでのすべてのブロックの正確性を検証する署名が含まれている。古いデータほどチェーンの内側にあって、改ざんが難しい。

　ブロックチェーンのこのような構造を、起業家ナヴァル・ラヴィカント［エンジェル投資家と起業家をつなぐ「エンジェルリスト」の創業者。彼の登場以降、全米の新規創業数は飛躍的な伸びを見せた］は次のような例えを使って説明している。「1ミリの大きさの琥珀の中にハエがいたとして、それが作られたのは昨日か、せいぜい1年前だろう。だが、巨大な琥珀の塊の中にハエを見つけたのなら、それがずいぶん前に閉じ込められたのだとわかる――長い時間をかけて琥珀は少しずつ堆積していったのだと。ブロックチェーンはブロックが連結されたものであり、それぞれのブロックは、複雑な暗号化技術を利用して、取り消すのがほぼ不可能な方法で、世界中のコンピュータによって実行される一連の計算である」

　ブロックチェーンというのは、まさにこの通りの仕組みだ。チェーンに組み込まれた情報は誰でも見られるが、変更することは誰にもできない。情報がブロックチェーンの奥にあればあるほど安全性が高く、そこにはその情報に関するすべての時間が封じ込められている。

1、ブロックチェーンの意義とは

　では、上書きできない公開リストは実際のところどのように有用なのだろうか？　従来型データベースの代わりとして利用することもできるかもしれない。だが、ブロックチェーンがほん

とうに役に立つのは、互いを知らない、あるいは信頼関係がない当事者間でデータを交換する場合だ。オドメーター（車の総走行距離計）を使って説明するとわかりやすいだろう。

中古車のオドメーターの巻き戻しはずっと昔から横行している。実際の走行距離が15万マイル以上でも、オドメーターがたとえば10万マイルを表示していれば、その分高い値で売れるからだ。このような改ざんも、ブロックチェーンを活用すれば防止できると言われている。同一車種別にネット上にブロックチェーンを作り、毎週各車のオドメーターの数字が記録され、メーカー、販売店、所有者間で情報を管理するシステムを構築すると考えるとわかりやすい。どこかに一元的に保存するのでなく、すべての車でデータを共有するのだ。

中古車を買いつける際には、販売業者はオドメーターの表示とブロックチェーンの記録を照合できる。数字が一致しなければ、オドメーターが巻き戻されたとみてまちがいない。編集も削除もできないブロックチェーンに保存されている情報のほうが、オドメーターの表示よりも信頼できるからだ。

もちろん、ブロックチェーンを使わなくても同様のシステムを構築することは可能だろう。自動車メーカーが、従来型データベースで車両と走行距離を追跡管理するオンライン・サービスを設けるのもひとつの手段かもしれない。だが、そのような一括管理的なシステムが果たしていつまで機能し続けるだろうか？　自動車は消費者製品としては飛び抜けて耐用年数が長い。平均の耐用年数は15年を超え、1980年代のモデルもいまだにかなりの数、街を走っている。それほどまでの長期にわたって、しかも車種ごとにメーカーがシステムを維持するのは現実的ではない。

その点、一括管理が必要ないブロックチェーンなら、そうした問題とは無縁だ。ブロックチェーンでは、いわば車同士が走行距離を追跡管理し続けるからだ。このシステムは最後ま

で順調に機能する。同一車種の車がこの世に二台だけになっても、ブロックチェーンは維持されるだろう。システムが動きを止めるのは、車が一台だけになったとき。それまで、システムは何の問題もなく機能するはずだ。

2、ふたつの問題

　変更不能な取引リストは言うまでもなく、誰が誰に、いつ、いくらお金を送ったかを追跡するのに役立つ。重要なのは、あとから情報を変更、改ざん、削除できないことだ。送金取引は一般的に、互いを知らない（必ずしも信頼関係が成立していない）当事者間で行われる。そのため、あとから上書きできないという特徴を活かし、ブロックチェーンを基盤とする現行のシステムの多くが送金に利用されている。

　デジタルデータはコピーが容易で、まったく同一の複製を作ることができるというのがこれまでの通念である。ブロックチェーンはそれを一変させ、検証可能で希少性の高いものを生み出すことを可能にした。

　完全なデジタル通貨にはふたつの根本的な問題がある。それは、送金の安全をどのように確保するか、そして新しい通貨をどんな方法で作るか、である。

　安全性を確保するには、ユーザー間で送金を検証できるシステムは絶対に不可欠だ。それがなければ、別の相手に送金したり、実行済みの送金を取り消したり、といったことができてしまうからだ。この点が解決できない限り、信頼性が担保できず、その通貨は使用できない。新しい通貨の創出もまた厄介な問題だ。何もないところからただお金を作ることは、やろうと思えばできるだろうが、誰かがひとりで作っただけのお金に価値はない。それに通貨供給量が大幅に増えれば、インフレを招き、通貨の価値は急落する。

　2008年にブロックチェーンのもとになるアイデアが発表され、

それがきっかけとなって世界初の、そしていまなおもっとも重要なブロックチェーン・ベースの通貨、ビットコインが誕生した。そして、デジタル通貨にかかわるふたつの重要な問題は、安全に送金できるこの新しい通貨によってみごとに解決した。

　ドルやユーロとは異なり、ビットコインには数学という裏づけがある。現実世界の通貨や送金には管理や規制が可能だが、ビットコインを規制するのは難しい。数学は規則に頓着しないからだ。ビットコインのシステムでは、ビットコイン・ネットワーク内のユーザーは、互いにユーザー間取引の検証者としての役割を果たす。それぞれの取引は、とてつもなく高度な能力を要する複雑な計算を通して検証がなされ、ブロックチェーンに記録される。ここで当然、検証者はなぜわざわざ自分のコンピュータのリソースを使って他人の金融取引を確認・保護しなければならないのか、という疑問が生じる。しかし、ユーザーが他者の取引を検証するのは、そうした作業に対してビットコインのアルゴリズムから報酬が与えられるからである。そしてこれこそが、新しいビットコインが作成されるしくみなのだ。

　一時間におよそ60のビットコインが作成され、ほかのユーザーのために取引を検証するユーザーに付与される。この検証作業を「マイニング（採掘）」という。ビットコインのマイニングをする人、すなわち「マイナー」は利他の心だけで複雑な計算をしてコンピュータのリソースを浪費しているのではない。彼らはマイニングを実行し、送金取引のスピードや安全性の向上に貢献するとともにリターンも得ているのだ。理論上は誰でも、ホームコンピュータ上でも、マイニングは可能である。とはいえ、実際にはマイニングには高い計算能力が求められるため、それ相応のマシンを備えた専門企業がその役を引き受けているのだが。

🔒 ビットコインの環境負荷

　マイニングは送金取引の検証方法としては有効であるものの、大きな問題を伴う。計算能力をお金に換えるというのがマイニングの論理なのだが、これには望ましくない副作用があるのだ。たとえば、従業員が許可もなしに職場のワークステーションやサーバ、さらにはスーパーコンピュータを使ってマイニングを行ったり、マルウェア作成者がほかの人のコンピュータ上でマイニングを実行するソフトウェアを開発したり、といったようなことが想定される。

　さらに、マイニングは電力を消費し、発電は環境に影響を及ぼす。この問題に取り組んでいるのが、ノルウェーの国有石油会社だ。油田では原油と一緒に莫大な量の天然ガスが産出される［随伴ガスという］が、大気中に放出するわけにはいかないため、その場で燃焼させてしまわなければならない。油田は都市から離れた場所にあるので、そうしたガスを商業的に利用する実行可能な方法はないが、かといって燃やせば地球温暖化に拍車をかけてしまう。2020年、エクイノール（ノルウェーの国営企業。旧社名はスタトイル）はこのような随伴ガスを燃焼させてビットコインのマイニングのための電力を生成するシステムの整備に着手した。そのほうが、油田から発生する随伴ガスを有効利用するほかのテクノロジーやインフラ構築よりもはるかに実行が容易で、環境にも優しい。

　ビットコインのセキュリティは高度な計算能力に支えられていて、それを維持するには膨大な電力が必要だ。となれば当然の成り行きとして、今後は電力がもっとも安価な場所にプロのマイナーの拠点が移っていくのではないかと考えられる。そうでなければ、マイニングを専門に行う企業は競争力を失いかねない。彼らは多額の資金を効率的なデータセンターの構築に投資しているが、それらは安価な電力源である巨大なダム

や地熱発電所の近くに設けられる傾向にある。環境にとっては幸いなことに、石炭を使った火力発電はコストが高い。

　マイニングの消費電力は都市や、どうかすると一国よりも多いことを示唆する統計を、ときどき目にする。そうしたデータには議論の余地があるとはいえ、それでもマイニングが大量のエネルギーを消費するのは明らかで、それゆえにもっと効率的な方法の開発が続けられている。取引の安全を確保する方法は、徹底的なマイニングだけに限らない。たとえば、「ソラナ（Solana）」や「ポルカドット（Polkadot）」といったブロックチェーンはプルーフ・オブ・ワーク［膨大な計算が必要な作業を成功させたユーザーが取引の承認を行い、新たなブロック生成の権利を優先的に与えられるしくみ］を採用しておらず、よってマイニングはいっさい不要だ。

　テクノロジーを利用すれば必ず電力を消費する。ネットフリックスを見る、オンラインゲームをする、グーグル検索をかける、何をするにしても電気を使う。新薬の研究、芸術作品の創造も同じだ。一部の発電方法が環境を汚染し地球温暖化を加速させるからといって、もはやテクノロジーの発展を遅らせるわけにも、止めるわけにもいかない。それよりも私たちは、再生可能エネルギーや原子力をもっと積極的に活用するべきだ［フィンランドエネルギー協会の2022年の調査によると、原子力を支持すると答えた国民の割合は60％にのぼっている］。安価な電力を使えるマイナーが激しい競争に打ち勝つ傾向にあるブロックチェーンのマイニングの場合、たとえば税制を有効に利用して石炭火力発電所の電力価格を水力発電所よりも少し高くすれば、マイナーたちは水力発電に頼るようになるだろう。

　私は、テクノロジーは気候変動にとっての問題ではなく、解決策だと考えている。私たちは電気を動力源とするテクノロジーを決して手放さないだろう。だが、テクノロジーの力で、いつの日か大気中から有害な二酸化炭素を取り除くことも可能になるはずだと信じている。

🔒 市場とビットコイン

　作られた当初、ビットコインに価値はなかった。それがいまでは、ビットコインで新車を買うこともできれば、Amazon.comで好きなものを注文することもできる。ビットコインと従来の通貨の換算レートは、これまでに大きく変動してきた。ビットコインの換算レートが初めて設定されたのは2009年10月。当時、ビットコインはサトシ・ナカモト、ハル・フィニー、ギャビン・アンドレセン、ジェフ・ガージク、マルッティ・マルミといったパイオニアたちを含む少人数のグループによって開発が進められていた。2009年10月12日、マルッティは5050ビットコインを販売した。販売価格は5ドルだったから、1ビットコインの価値は0.001ドルに満たなかったわけだ。2010年には、ビットコインを初めて買い物に使ったハンガリー人ラズロ・ハニエツが話題となったが、ファミリーサイズのピザを二枚買うのに、彼は1万ビットコイン支払っている。

　いまとなっては笑い話だろうが、どちらのケースもビットコインの開発にとって重要な意味があった。マルッティの取引がその後の仮想通貨と従来の通貨の換算基準となったため、ラズロはビットコインをたくさんもっていてもお金がなく、お腹をすかせていた。飢え死にするぐらいなら、換算レートが悪かろうと、ビットコインを大量に払ってピザを買うほうがましだった。

　初期のころには、ビットコインを無料で配るウェブサイトまであった。それらはフォーセット・サイトと呼ばれ、ユーザーはボタンをクリックするだけで5ビットコインが手に入った。いま考えれば、まったくとんでもない──タダでお金をあげるなんて、誰がそんなことをするだろうか。だが、初期のビットコイン信奉者は、仮想通貨のシステムを知ってもらい、世の中に普及させて、自分たちが保有するコインの価値を高めることが何より重要だと考えていた。その意味で言うと、彼らは成功し

た。ほどなく1ビットコインの価値は数万ドルに跳ね上がったからだ。

　供給量が無限でないビットコインのシステムは、インフレ問題の解決策でもある。ドルやユーロや円は、発行できる量の上限に決まりがない。状況を勘案し、その気になれば中央銀行は法定通貨をいくらでも市中に供給することができるし、必要ならば紙幣を無限に刷ることも可能だ。それに対し、ビットコインの場合、アルゴリズムによって総発行量は2100万ビットコインと厳密に設定されている。これを書いている時点ですでに1900万ビットコインのマイニングが完了していて、発行ペースは緩やかになっている。残る200万は今後100年かけてゆっくりとマイニングされていくものとみられる。

　「マイニング（採掘）」ということばから連想されるのか、ビットコインはよく金などの貴金属と比較される。どちらも価値が高いが、その理由のひとつが手に入れるためにコストがかかることだ。金は地中深くから掘り出さなければならないし、ビットコインのマイニングには高額なうえ大量の電力を消費する高性能のコンピュータが必要だ。ただし、金の場合は埋蔵量に限りがあるはずだが、その残存量は定かではない。この先何年間も大きな金鉱を発見し続けるかもしれないし、月や小惑星に金山を見つけることだってあり得る。だから、最終的にどれだけの量の金が採掘できるかは、予測不可能だ。しかし、ビットコインなら、発行量の上限に達するまであとどれくらいかを正確に知ることができる。

　ビットコインに価値があるのは、作るのに高いコストがかかり、偽造不可能で、総発行量が厳しく決められているからだ。だから投資家はビットコインを買う。重要なのは、ドルの代わりに日常の買い物に利用できるようになることではなく、きわめて限られた数のビットコインに高い需要があることなのだ。

　フランスの高級ブランド、エルメスはスカーフや香水、ハン

ドバッグを作っている。とくに有名なのが、しっかりした作りの美しいバッグ、バーキンだ。バーキンは希少性がものすごく高く、とても高価で、新品は1万ドル以上、モデルによっては10万ドルを超えるものもある。しかも、お金があってもそれだけでは手に入れることができない。バーキンをほしがる人は相当な数にのぼるため、長いウェイティングリストがあり、中古品の価格も天井知らずだ。エルメスはどのような方法で、多くの人が高いお金を払ってまでほしいと思うようなバッグを作ったのか？　作る数を制限したのだ。需要が高いにもかかわらず、エルメスは毎年新しいバッグを数万個しか生産しない。ビットコインの価格もそれと同じ。ほんもののビットコインが高価なのは作られている数が少ないからで、偽物は安い。バーキンの違法コピーが、ほんものよりも安価で売られているのと同じである。

🔒 ニューカマーたち

　ビットコインの成功に倣おうと、多くの競合企業が仮想通貨市場に参入してきた。コインマーケットキャップ［世界中で発行されている仮想通貨の時価総額ランキングや現在の取引価格、取引量、過去の価格推移などの情報が掲載されたウェブサイト］に掲載されているリストには、2000を超える暗号通貨が名を連ねている。これといって際立つ特徴のないものがほとんどだが、なかには明らかなビットコインの欠点を修正し、新たな機能を取り入れようとしているものもある。

　ビットコインは当初のコンセプト段階からすでに、将来的にはプログラム可能な［プログラムによって決済をはじめ多様な機能が付加された仮想通貨をプログラマブル（プログラム可能な）マネーという。これを利用することで契約、決済などの業務をデジタル化して自動的に実行できるようになり、業務の効率化やコスト削減につなげることができる］機能を盛り込むことを

想定していた。このコンセプトをさらに進化させたのが「イーサリアム（Ethereum）」だ。イーサリアムはプログラム可能な仮想通貨で、その未来は人間ではなくマシン間の送金取引にある。

たとえば、稼働中にクラウドの保存容量が追加で必要になった場合、あるコンピュータシステムが別のシステムからサービスを購入するという状況は容易に想像できる。そんなとき、なぜコンピュータがドルのような人間のために作られたお金で取引しなければならないのだろうか？　マシン間でプログラム可能なお金を使うほうが理にかなっているのではないか。そのために開発されたのが、イーサリアムなのだ。

また、ビットコインのトラフィックは匿名なので、現金同様に追跡は難しい。とはいえ、難しいだけで完全に不可能なわけではない。「モネロ（Monero）」と「ジーキャッシュ（Zcash）」は、その匿名性を極限まで高めた暗号通貨だ。ブロックチェーンが非公開なのはビットコインと同じだが、モネロとジーキャッシュはセキュリティを犠牲にしてでもプライバシー保護を重視した暗号化アルゴリズムを用いている。セキュリティを犠牲にとは言ったものの、暗号化されているためこれらふたつの通貨の取引の追跡はきわめて困難であり、お金の出どころを追跡するのはほぼ不可能だ。

「DeFi（ディーファイ、decentralized financeの略）」という言葉がある。これは分散型金融［特定の中央集権的な管理主体を要さず、自律的に運営される新たな金融サービスのこと。主としてイーサリアムのブロックチェーン技術を基盤に構築されている］を意味する。それは、既存の銀行業とは別の金融セクターの確立を目指す、ブロックチェーンを利用した新しい金融サービスである。大雑把に言えば、DeFiは銀行に戦いを挑んでいるわけだ（*1）。

こうした世界では仮想通貨の価値が上がるも下がるもプロ

グラムしだい、つまりはプログラマーの腕にかかっていると言える。システムにバグがあれば、通貨が複製されたり、同時にいくつかのアドレスに送金されたりする恐れが生じる。そのため、すべての仮想通貨のシステムには、開発者の好みに関係なく、かなり高額なバグ報奨金制度が組み込まれている。

　さらに、多くの銀行や国がすでに独自の暗号通貨の作成を計画している。検証可能で、なおかつ互いを知らない、つまり信頼関係のない当事者間で安全に送金できる、完全に電子化されたお金は、従来型の金融セクターに属する事業者にとっても有益だろう。フェイスブックは独自の仮想通貨プロジェクトについて長年議論を続けている。この戦いでドルやユーロに勝ち目はない。何しろ、フェイスブックのユーザー数はいまや、ドルやユーロを利用する人の数よりも多いのだから。

*1　DeFiの詳細はウェブサイト「https://de.fi」で読むことができる。

🔒 NFTの可能性

　デジタルシステムはロスレス［ロスがない、つまりデータの欠損を伴わないこと］複製を可能にする。メールの添付ファイルとして友人に画像やテキストを送れば、あなたと友人の両方がまったく同一のファイルをもつことになる。友人が受け取ったファイルとあなたがもつオリジナルのファイルにちがいはない。それに対して、ブロックチェーンを基盤にした非代替性トークン（NFT）［ブロックチェーン、主にイーサリアムを基盤にして作成された、代替不可能なデジタルデータのこと。ブロックチェーンを利用しているため改ざんが不可能なうえ、NFTを発行すると、所有しているデジタルアイテムが唯一無二のものであることが証明でき、その希少性を担保できる。デジタルアートやトレーディングカード、音楽などさまざまなアイテムがNFT化され、なかには高額で取引されているものもある］を利用すれば、正確かつ恒久的なデジタル原本を作成することができる。

ではなぜ、原本はコピーより価値が高いのか？　それは、メトロポリタン美術館の壁にかけられたピカソの原画のほうが、あなたの部屋に飾られているレプリカより価値があるのと同じ理由だ。たとえばJPEG画像をNFT化すれば、レアなコレクターズアイテムになる。画像のコピーは誰でも作ることができるが、コピーにはオリジナルほどの価値はない——ピカソの作品とまったく同じように。だから、たとえエンコードされたデータがコピー可能でも、NFTには価値があるということになるのだ。

　新しいテクノロジーがどれもみなそうであるように、NFTは現在のところ実態を知らぬまま賛否を語る声が多すぎる。NFTテクノロジーのもっとも重要な利用法は、まだはっきりとわかっていないのではないだろうか。

　スポーツ用品メーカーのナイキはバーチャルスニーカー［オンラインの世界でのみ着用できるスニーカーのこと。ゲームやメタバース空間でアバターに着用させることができる。デジタルスニーカーとも］などのNFTを扱うベンチャー企業RTFKT（アーティファクト）を買収したが、その意図がわからず多くの人が首をかしげた。思うにナイキは、オンラインゲームのキャラクターに個性的でスタイリッシュな、希少価値の高いブランドの服を着せるのに、人々が喜んでお金を払う未来を思い描いているのではないだろうか。［2021年、ナイキは大手オンラインゲーミングプラットフォームの「ロブロックス」内にナイキ本社を再現した独自のメタバース空間、「ナイキランド」を設立した。ナイキランド内ではアバター同士が鬼ごっこをしたり、ミニゲームを楽しんだりすることができる］

　私の最新の著書［2021年の「Internet」。Werner Söderström発行、未邦訳］が出たとき、購入者の多くが私にサインを求め、私も喜んでそれに応じた。著書は紙の書籍、電子書籍、オーディオブックの三つのフォーマットで販売された。紙にサインするのは簡単だが、ePub2［EPUBは「Electronic PUBlication」の略で、電子書籍のファイルフォーマットのひとつ］やMP3［音声データを圧縮するファイルフォーマットのひとつ］ファイルにサインする方法がないのはなぜなの

だろう?

　だが、きっといつか電子書籍やオーディオブックにもサインができるようになるだろう。とにかく私はそう希望している。もしかすると、マドンナやエミネム、シャキーラが、ライブ中に何千人ものファンに向かって、突如スマートフォンを取り出すよう呼びかける日も来るかもしれない。「次の歌をみんなに捧げるよ。今日のライブの記念に、みんなのスポティファイのライブラリにある楽曲にサインするから」なんて言って。これまではサイン本や作品が転売されても著者やアーティストに利益がもたらされることはなかったが、興味深いことにDeFiのメカニズムによって人々がそうしたサイン入りの原本を再販売し、アーティストが販売価格の何パーセントかを自動的に受け取れるシステムも実現するかもしれない。

🔒 犯罪とビットコイン

　現実世界の犯罪者は、これまでずっと現金をもっとも好んできた。授受の証拠が残らず、便利だからだ。もちろん現金自体に罪があるわけではなく、また有害なわけでもない――みんなが持っているものだ――が、街角の薬物売買などの取引はもっぱら現金で行われている。クレジットカードでコカインを買うのはとても難しい（と聞いている）。

　一方で、オンラインの薬物取引には主にビットコインが使われる。その理由は現実世界の犯罪に現金が好まれるのとまったく同じだ。そして同様に、それは現金と同じようにビットコイン自体がいいとか悪いとかの問題ではない。それらはあくまでもツールであるというだけだ。

　ビットコインの基本原則のひとつが、取引の不可逆性だ。つまり、実行した送金をあとから取り消すことができないのである。これはシステム上の不備ではなく、ビットコインは意図

的にそのように作られている。なぜなら、送金の取り消しができないため、たとえば商品が到着しないと主張して代金の払い戻しを要求する典型的なペイパル詐欺などを防止できるからだ。

しかしながら、そうした不可逆性は犯罪者の側にも有利に作用する。被害者のビットコイン・ウォレットにアクセスしてお金をどこかに動かしてしまえば、あとから取り消す方法はない。要するに、泥棒からお金を取り戻す術もまたないわけだ。

暗号通貨取引所は、絶えずオンライン攻撃を受けている。既存の銀行も暗号通貨の取引所も犯罪者にとって価値の高いターゲットリストのトップにあるが、既存の銀行はシステム保護に関して豊富な経験があり、大規模なITセキュリティ・チームもいるため、侵入するのはきわめて難しい。対して暗号通貨取引所は、ほとんどが業界の経験が浅く従業員の数も少ないスタートアップであり、それでいて銀行よりもはるかに大きな資産を管理している可能性がある。スロベニアの取引所、ビットスタンプがよい例だ。ビットスタンプは世界中に400万人のユーザーを抱え、年間取引高は約400億ドルを誇る。比較のために言っておくと、スロベニアの株式市場の年間取引高は40億ドルだ。ビットスタンプは2015年にハッキングを受け、1万9000ビットコイン、2022年初頭のレートで8億ドル相当が不正に引き出された。暗号通貨取引所がねらわれるのも無理はない。ドルとは異なり、仮想通貨は盗んでしまえばその匿名性から資金洗浄の必要がなく、犯罪者にとって好都合なのだ。

ビットコインがらみの犯罪の大半は、オンライン詐欺かトロイの木馬型ランサムウェアに関連している。よくあるビットコイン詐欺の手口は、ビル・ゲイツやイーロン・マスクら著名人の評判を悪用し、彼らの名前で人々にビットコインを送るよう要求する、というもの。詐欺師はお金を倍にして返すと約束する。私のあらゆる経験則から言って、オンラインでそんな話を

持ちかけてくる者は詐欺師以外にいない。2020年夏にはバラク・オバマ元大統領のツイッター・アカウントが乗っ取られ、彼の名を騙ったビットコイン詐欺が拡散した［他にもバイデン現大統領、イーロン・マスク、カニエ・ウェストといった著名人のアカウントがハッキングされ、「30分以内にビットコインで資金を送れば、二倍になって戻ってくる」などとツイートした］。何百人もの人がだまされ、詐欺師に総額50万ドル以上を送金しようとした。

　ビットコインの利点に気がついているのは、犯罪集団だけではない。北朝鮮には長年禁輸などの経済制裁が科されているが、その対象にブロックチェーンは含まれていない。そのため、北朝鮮政府と手を結んだハッカーがトロイの木馬型ランサムウェアを拡散させ、日本と韓国のビットコイン取引所をハッキングしている［ブロックチェーンの分析会社であるチェイナリシスは、北朝鮮のハッカーによって2022年に盗まれた暗号資産は17億ドル（約2200億円）に及び、世界全体で盗まれた暗号資産の44％に北朝鮮が絡んでいたことになるという調査報告を行っている。この金額はそれまで最多だった2021年の4倍であり、ハッキングの相当な大規模化が進んでいることを窺わせる］。ドルやユーロを動かすのは無理でも、ビットコインなら北朝鮮からでもアクセスすることができるのだ。

　暗号通貨は規制などとは無関係な数学に基づいているため、規制するのは難しい。政策立案者が効果的に規制できるのは、現実世界の通貨と暗号通貨を交換することができる取引所だけだ。

🔒 税関 vs ビットコイン

　あるとき、BBCのテレビジャーナリストから電話があり、トロイの木馬型ランサムウェアとビットコインについてのインタビューを受けることになった。電話の打ち合わせで、ビットコインを視聴者にわかりやすく説明してほしいと頼まれた私は、フ

ィジカルビットコインの「デナリウム（Denarium）」をスタジオに持って行こうかと提案した。フィジカルビットコインとは、コインの裏にお金が保存されているアドレスの秘密鍵が印字され、それを隠すホログラムのシールが貼られた、ビットコインの実物である。ジャーナリストは喜び、コインを何枚か持って行くことで話がまとまった。

　翌日、私はポケットにコインを3枚──5ビットコイン、1ビットコイン、0.1ビットコイン──入れて、ヒースロー空港に到着した。フィンエアーの飛行機を降りて入国審査に向かい、税関で「申告物あり」の表示がある赤の通路を選んだ。私が乗った便の乗客のなかでそちらに進んだのは私ひとりだった。税関検査官は険しい顔をしていたが、親切だった。

　「こんにちは。どうしましたか？」
　「イギリスに入国したいのですが、所持金が1万ポンドを超えます」

　ビットコインの正確な換算額がわからなかったので、私は「1万ポンド相当額」以上は申告しなければならないと明記された壁のポスターを指さした。検査官は書類の山を手に取った。

　「そうですか。何の通貨をお持ちですか？」
　「ビットコインです」
　「ビットコイン？」
　「はい、ビットコインです」
　「わかりました……ちょっとお待ちいただけますか？　ほかの者を呼んできます」

　待っていると、ビットコインについて多少の知識があるとおぼしき別の検査官がやってきた。

「ビットコインをお持ちだとか？」

「そうです」

「いくらですか？」

「6.1ビットコインです」

　当時、1ビットコインの価値は2000ドル以上だった。検査官はすばやく計算し、私の所持金が申告の必要なラインを超えていることを確認した。

「そうですね、合計で1万2000ポンドを超えますから、登録が必要になります」

「わかりました。お願いします」

「コンピュータで確認しますか？」

「いいえ。フィジカル・ビットコインなので」

「何ですか？　フィジカル・コイン？」

「ええ、フィジカル・ビットコインです」

「そうですか……少々お待ちいただけますか？　ほかの者を呼んできますので」

　私は三人目の検査官を待った。やってきたのは赤ら顔でぶっきらぼうな男性だった。

「フィジカル・ビットコインを持っているって？」

「ええ」

「1万2000ポンドのフィジカル・ビットコイン？」

「だいたいそれくらいです」

「チッ」

　彼はハーハーと息を切らしながら行ったり来たりしていた。

どう見ても、私をどのように扱うべきかわかっていないようだ。しばらくたって、ようやく彼が口を開いた。

「持ち込もうとしているこの6.1フィジカル・ビットコインだけど、これは出国時には申告した?」

「いいえ」

「それは結構。もう行っていいよ。どうぞどうぞ」

私はバックパックを背負い、彼が示したドアを出た。私をそこから追い出すのが、近代国家の枠組みの守護者たる彼にとってもいちばん手っ取り早い解決策だったのだ。

6

暗号通貨の時代

CHAPTER 7

インターネットと諜報、そして戦争

諜報活動の要は情報収集である。
かつては紙に印刷された形あるものだった情報は、いまやバーチャルだ。その変化によって、諜報機関の任務も様変わりした。テクノロジーは大国間の関係を変えると同時に、紛争の性質や戦争の始まり方にまで影響している。サイバー兵器は効果的で入手しやすく、しかも自分が攻撃者ではないかのような偽装も可能である。これからの戦争では、サイバー兵器が必ず多用されるようになるだろう。

🔒 サイバー兵器

　「サイバー戦争」というのは、その定義がいまも学術会議で議論のテーマになるほど、複雑なことばである。その点、サイバー兵器はシンプルだ。私はサイバー兵器を、「国家主体によって開発され、もう一方の紛争当事者への攻撃に利用される、悪意あるソフトウェア」と定義している。サイバー兵器は2015年に始まったロシアとウクライナの紛争などで使われたとみられているが、戦争に限らず、諜報活動や破壊工作にも用いられている。

　デジタル化が進み、諜報のあり方は大きく変わった。情報は紙に書かれた文章や図表から、コンピュータやネットワークに保存されたデータへと姿を変えた。昔であれば情報を盗んだり、コピーしたり、写真に収めたりするにはスパイの手を借りる必要があったのが、現代では世界のどこからでも諜報活動や情報収集を実行することができる。集められるデータの量に関しても革命が起きている。印刷物なら運ぶのにトラックが数台必要になるほどの量のデータも、テクノロジーを活用すればほんの一瞬で転送できる。書類を積み込んだトラックが守衛のいる門を通ろうとすれば発見されやすいが、USBサムドライブを持った人間が歩いて出るのであれば怪しまれない。

　私は以前、ロシア政府によるセキュリティ侵害について新聞の取材を受けたとき、諜報活動の舞台は現実世界からインターネットへと移った、と述べた。その翌日、フィンランド安全保障情報庁に勤める知り合いから電話がかかってきた。朝刊を読んだ彼は、私がまちがっているとずばり指摘した。「諜報活動の舞台がインターネットに移ったわけではない。インターネットにまで広がったんだ」と。その通りだ。いまでもジェームズ・ボンドは現実世界にいるが、そこで展開されている最新の諜報活動がどんなものかを知らない私が、その存在に気

がつくことはない。自分の視点からだと、スパイがインターネットの世界に入ってきたように見えたが、実のところは彼らがインターネットに任務の範囲を広げただけだった。

　現実世界のスパイのなかには、世界最大のクラウドサービス会社の従業員として働いている者がいるかもしれない。実際にそのような事例はすでに起きているのだ。

　仕事でグーグルを訪れたとき、昼食をとりながら開発担当者やリサーチャーと話をする機会があった。10人あまりとともにテーブルを囲みながら、私は政府の諜報活動や外国の諜報機関の話題を出し、どこかの国の諜報機関がグーグルが保有するデータにアクセスしようとしているかもしれない、と話した。みな、うなずいて賛意を示している。さらに私は、グーグルはずっとサイバー攻撃を受け続けていて、この先もそれは続くだろうが、もしかすると誰にも気づかれることなく進んでいる企てがあるかもしれない、と言った。やはり全員が私の意見に賛成だ。続けて私は、グーグルはセキュリティに多大な投資をしているので、そのデータを入手したければ、旧来のスパイ行為に頼るのがいちばん確実だろうとも言った。具体的には、スパイを社員として送り込み、重要な役職に就かせるのである。

　すると、テーブルの向かい側に座っていたグーグルのスタッフのひとりが口を開き、「それはあり得る。誰にも正体を知られずに、スパイはもうグーグルにもぐり込んでいるかもしれない」と言った。その場は沈黙に包まれ、みな互いに顔を見合わせた。その後は会話も弾まぬまま、ランチタイムは終わった。

🔒 もっともらしい否認

　テクノロジーはいつでも戦争の性質を形づくり、その発達は紛争解決の手段に影響を及ぼしてきた。何百年も前は、手に

入る最高の武器といえば刀剣や矢だった。重火器を搭載した近代的な戦艦が建造できるようになると、戦いの場は陸地から世界中の海へと広がった。しかし、それによって陸上の戦争がなくなったわけではない。戦争がさまざまな環境で同時に行われるようになっただけだ。それに続く航空機の発明は空中戦を、軍事衛星は宇宙戦を、そしてサイバー兵器はサイバー戦を世にもたらした。

　サイバー戦争と言っても、ふたつの国が互いに宣戦を布告し、仮想空間の中だけで戦う「純粋なサイバー戦争」が現実の戦争にとってかわるとは考えにくい。サイバー空間を含むすべての前線で戦争が行われるようになるだけだ。サイバー兵器は諜報活動において主要な役割を果たすばかりでなく、それを使って相手に直接攻撃を加えることもできる。

　従来型の兵器と比べ、サイバー兵器は効果が大きくて容易に入手できる。爆弾やミサイル並みの破壊力をもち、絶大な効果があると同時に、従来型兵器よりも安価なのだ。エフセキュアのラボが行った概算によれば、史上もっとも重要なマルウェア・アプリケーションのひとつ、「スタックスネット（Stuxnet）」の開発には少なくとも10マンイヤー［マンイヤーは「人年」ともいい、ひとりの人間が一年間働いた仕事量を一とした、仕事量を表す単位のひとつ。すなわち、ひとりが一年間働いた仕事量を一人年という］を要したという。現実的な予算は推定2000万ドルとみられるが、米国からB52爆撃機の飛行大隊を飛ばしてイランに空爆を仕掛けるよりはお手頃だ。

　何より大きな特徴は、サイバー兵器による攻撃は「もっともらしい否認」［中央情報局（CIA）長官アレン・ダレスが最初に公に使用したことば。あることへの関与がほぼまちがいないと思われる人物が、確たる証拠がなく、ほかの人が行った可能性が否定できないことを理由に、疑惑を否定することを意味する］ができることだ。簡単に言うと、誰がネットワーク攻撃を仕掛けたかを証明するのはきわめて困難なのである。先

述のスタックスネットは、米軍がイスラエルと協力して開発したというのが今日における世界の一致した見解だ。とはいえ、それを裏づける証拠はなく、米国政府も認めていない。だが、それはもうほとんど事実と認められていると言っていいだろう。2012年に刊行された『ニューヨーク・タイムズ』紙記者デイヴィッド・サンガーの著書『Confront And Conceal：Obama's Secret Wars and Surprising Use of American Power［Crown発行、未邦訳］』には、政権内部の匿名の情報筋がスタックスネットはNSA（アメリカ国家安全保障局）によって開発されたものだと述べた、と書かれている。それに対し、当時のオバマ大統領はサンガーの主張を否定することなく、事務的に「情報をリークした人物を特定するために捜査を開始する」と発表した。これは私の推測だが、再選を目指す選挙戦のさなかにあって、オバマは強いリーダーとして自分の存在を印象づけたかったのではないか。大統領がまったく新しいタイプのハイテク兵器を生み出し、それをうまく使って米国の最大の敵を攻撃したとなれば、聞こえもいいだろう。そう考えると、政府が開発したとは明言しないながらも、オバマがスタックスネットへの自身の関与を匂わせたとしても何ら不思議ではない。その後、スタックスネットの情報をリークしたのはジェームズ・カートライト大将であると判明したが、2017年、判決が出る前にオバマはカートライトに恩赦を与えた。

　これまでにメリーランド州フォート・ミードにあるNSA本部に足を踏み入れたことのある外国人はほとんどいないが、私は2008年秋にそこを訪れたことがある。スタックスネットに携わっていた人たちともたぶん顔を合わせていたのだろうが、そのときにはそこでそんなものが開発されているなどとは知る由もなかった。

🔒 スタックスネット事件

スタックスネットは史上もっとも重要なマルウェア攻撃のひとつであり、それが登場する前と後で、マルウェア攻撃の概念は一変した。では、スタックスネットは何をどのような方法で行ったのだろうか？　スタックスネットが世間を騒がせていた2010年夏によく聞かれた質問とそれに対する答えをまとめたものを、以下に紹介しよう。

Q：スタックスネットとは何か？
A：USBスティックを経由して広がるウィンドウズ・ワームだ。組織内部に侵入すると、パスワードの弱い共有ネットワーク内に自身をコピーして感染を拡大させることもできる。

Q：ほかのUSBデバイスを介して拡散することはあるか？
A：もちろんだ。USBハードドライブやスマートフォンなど、ドライブとして接続可能なすべてのものを介して広がる。

Q：スタックスネットは何をするのか？
A：システム全体に感染を広げ、ルートキットによってその姿を隠しながら、感染したコンピュータが工場システムの「シーメンス・シマティック（Siemens Simatic）ステップ7」に接続するのを待つ。

Q：シマティックに何をするのか？
A：ウィンドウズ・コンピュータからPLC（programmable logic controller＝プログラマブル・ロジック・コントローラの略。つまり、マシンを実際に制御する装置）に送られたコマンドを改ざんする。PLCで動作できるようになると、スタックスネットは特定の工場環境を探す。見つからない場合は何もしない。

Q：どのような工場環境を探しているのか?

A：わからない。

Q：スタックスネットは探している工場を見つけたのか?

A：それもわからない。

Q：工場が見つかったら、何をするのか?

A：PLCを改ざんして特定の高周波コンバータ・ドライブ（AC ドライブ）を探し、その動作に改変を加える。

Q：高周波コンバータ・ドライブとは何か?

A：基本的にはモーター速度を制御するための装置だ。スタックスネットが探すのは、フィンランド企業ヴァコン（Vacon）およびイラン企業ファラロ・パヤ（Fararo Paya）製のACドライブだ。

Q：スタックスネットはヴァコンとファラロ・パヤ製のドライブを感染させるのか?

A：そうではない。ドライブを感染させるわけではなく、感染したPLCがドライブの動作を改ざんする。改ざんは、超高出力の周波数など、きわめて限定的な条件がすべて同時に成立する場合に限って実行される。したがって、影響が及ぶ可能性があるのは、ごく限られたACドライブのアプリケーション領域だ。

Q：そのアプリケーション領域とは何か?　ACドライブは何に使われるのか?

A：効率的な空気圧システムなど、さまざまな目的に使用される。

Q：ほかには何に使われているか?

A：濃縮用の遠心分離機にも使用されている。

Q：たとえば?

A：核物質であるウランの濃縮に使われる、超高速回転する遠心分離機。そのため、高周波ドライブは軍事的にも民生用にも利用できる高度先端テクノロジーとみなされ、国際原子力機関（IAEA）の輸出規制リストに含まれている。

Q：スタックスネット・コードが原因で遠心分離機が破壊され、ばらばらに砕けたものがおよそマッハ2の速度で飛び散るようなことになるのか?

A：というより、質の悪いウランが製造されるような改ざんを遠心分離機に行う、と言うほうが正しいだろう。改ざんは長期間検出されない可能性もある。

Q：ヴァコン社と連絡をとっているか?

A：とっている。彼らはこの件について調査しているが、スタックスネットがヴァコンの顧客のシステムのどこに問題を発生させようとしたかはわかっていない。

Q：スタックスネットの標的はイランのナタンツ濃縮施設だったと言われている。ヴァコン社製ACドライブはそれらの施設にあるか?

A：ヴァコン社によると、イランの核プログラムに同社製のドライブが使用されているとは認識していないし、禁輸措置に違反してイランにACドライブを売ったことがないのはたしかだそうだ。

Q：ファラロ・パヤに連絡をとったことはあるか?

A：ない。

Q：この会社についてわかっていることはあるか？

A：何もない。イラン国外ではよく知られていない企業のようだ。エフセキュアでは、イラン国外で彼らのACドライブを使用している顧客がいるとは認識していない。

Q：ということは、どの国が標的なのか明らかなのでは？

A：次の質問を。

Q：巻き添え被害が発生する可能性はあるか？　スタックスネットはもともとの標的でなかったほかの工場を攻撃するのか？

A：本来の標的ときわめて類似した工場ならば、可能性はあるかもしれない。

Q：スタックスネットがこれほど複雑だと思われているのはなぜか？

A：複数の脆弱性を利用し、自らのドライバをシステムに忍びこませるるからだ。

Q：ドライバをどうやってインストールするのか？　ドライバがウィンドウズで動作するには、署名がなければならないのでは？

A：スタックスネットのドライバは、リアルテック・セミコンダクター・コーポレーション（Realtek Semiconductor Corp.）［通信ネットワーク、コンピュータ周辺、およびマルチメディアに関する幅広い用途の半導体の設計開発・製造販売を行う台湾企業］から盗まれた証明書によって署名されていた。

Q：証明書はどうやって盗むのか？

A：おそらくだが、マルウェアが証明書ファイルを探し出し、キーロガーを使って入力されるパスフレーズ［本人認証を行うためのパ

スワードのなかでも、十～数十文字以上と長い文字列で構成されるもの］を集めるのだろう。あるいは、システムに侵入して認証に必要な要素を盗み、パスフレーズを片っ端から試すのかもしれない。

Q：盗まれた証明書は無効になっているのか?

A：なっている。ベリサイン［1995年にRSAセキュリティから認証サービスに特化した企業として独立した、ドメイン名の登録情報の管理などを行う米国企業］が2010年7月16日に無効にした。ジェイマイクロン・テクノロジー・コーポレーション（JMicron Technology Corp）［台湾にある集積回路のメーカー］から盗まれた証明書による署名がなされた亜種は、2010年7月17日に見つかっている。

Q：リアルテックとジェイマイクロンはどのような関係にあるか?

A：何の関係もない。ただ、どちらも本部は台湾の同じオフィス・パーク［複数のオフィスビルが集まっている建物やエリア］にある。そこが奇妙な点だ。

Q：スタックスネットが悪用する脆弱性とはどのようなものか?

A：全体的に見て、スタックスネットが悪用する脆弱性は五種類で、そのうちの四つがゼロデイ脆弱性［過去に確認されておらず、パッチも提供されていないセキュリティホール］だ。

・LNK［拡張子「LNK」をもつウィンドウズに関連するショートカットファイル］（MS10-046）［ウィンドウズのセキュリティ情報のページで公開された脆弱性には、「MS」で始まる番号がつけられる。そのあとの数字は、西暦の下二桁と年間の通し番号。この場合は、2010年に公開された46番目のセキュリティ情報という意味］
・印刷スプーラー［ウィンドウズに組み込まれた、プリンターで印刷ジョブを順番に実行するためのプログラム］（MS10-061）
・Serverサービス［ウィンドウズでファイルやプリンターの共有などを行うために利用されるサービス］（MS08-067）

・キーボード・レイアウト・ファイルを介した特権の昇格（MS10-073）

・タスク・スケジューラを介した特権の昇格

Q：スタックスネットの作成者は自分でゼロデイ脆弱性を見つけたのか、それともブラック・マーケットで買ったのか？

A：わからない。

Q：そのような脆弱性はどれくらい高価なのか？

A：いろいろだ。一般的なウィンドウズの、リモートでコード実行されるタイプのゼロデイ脆弱性なら、ひとつ5万〜50万ドルといったところだろう。

Q：スタックスネットの詳細な解析になぜこれほど時間がかかったのか？

A：あり得ないほどに複雑で巨大だからだ。スタックスネットはサイズが1.5メガバイト以上もある。

Q：スタックスネットの拡散が始まったのはいつか？

A：2009年6月か、それ以前だろう。構成要素のひとつのコンパイルの日付は2009年1月となっていた。

Q：発見されたのはいつか？

A：その一年後の2010年6月だ。

Q：どうやってその存在が明るみになったのか？

A：よい質問だ。

Q：スタックスネットを作るのに、どれくらい時間がかかったと思われるか？

Ａ：開発に十マン・イヤーを要したと推測される。

Ｑ：スタックスネットを書くことができたのは誰か?
Ａ：必要だったであろう研究開発への投資の大きさ、そしてスタックスネットには収益を生み出す明らかな仕組みがないという事実を考え合わせれば、浮上する可能性はふたつのみ。大規模テロ組織、あるいは国家機関だ。エフセキュアは、この種のリソースをもっているテロ組織はないと考えている。

Ｑ：では、スタックスネットを書いたのは政府だと?
Ａ：ああ、そのようだ。

Ｑ：政府がそのような複雑なことをうまく実行できるものだろうか?
Ａ：トリッキーな質問。ナイス。次の質問どうぞ。

Ｑ：書いたのはイスラエルか?
Ａ：わからない。

Ｑ：エジプトか?　サウジアラビア?　アメリカ?
Ａ：わからない。

Ｑ：標的はイランか?
Ａ：さあ……。

Ｑ：スタックスネット内に聖書から参照された内容があるというのはほんとうか?
Ａ：「Myrtus（ミルタス）」［和名はギンバイカという植物。聖書にも九回登場するため印象的な名前である］への言及がある。ただし、これはコード内に「隠されて」はいない。これはコンパイルされたときに

プログラム内に残されたアーティファクト［何らかのインシデントが発生した際に残されるデータの誤りや信号の歪みなど、何らかの痕跡のこと。たとえばサイバー攻撃が起きたときは、マルウェアや攻撃ツールのほか、各種のログなど、さまざまなアーティファクトが残される］だ。基本的に、これは作成者がソースコードをシステムのどこに保存したかを示している。スタックスネット内の具体的なパスは「\myrtus\src\objfre_w2k_x86\i386\guava.pdb」。作成者はおそらく彼らがプロジェクトを「Myrtus」と呼んでいることを知られたくなかったのだろうが、このアーティファクトのおかげでわかった。このようなアーティファクトはほかのマルウェアにも確認されている。たとえばオーロラ作戦［2009年末から2010年初頭にかけて、中国国内の攻撃者がグーグルなど大企業のゼロデイ脆弱性をついて行った攻撃。これを機にグーグルは中国市場からの撤退を検討しはじめ、2022年に撤退した］は、バイナリのひとつに「\Aurora_Src\AuroraVNC\Avc\Release\AVC.pdb」というパスが見つかったことから、「オーロラ」と名づけられた。

Q：「Myrtus」が聖書からの参照であるというのはどれくらい正確な話なのか？
A：うーん……ほんとうにわからない。

Q：何か別の意味がある、ということは考えられないか？
A：そうだな、「Myrtus」でなく「My RTUs」かもしれない。RTU は工場システムに使用される「リモート・ターミナル・ユニット（Remote Terminal Units）」［遠方監視制御装置。産業用監視制御とデータ取得システムの SCADA において、遠隔地に設置され、センサーなどの機器の監視と制御を行う］の略だ。

Q：マシンを感染させたことをスタックスネットはどうやって検知するのか？
A：レジストリ・キーに感染マーカーとして「19790509」の

値を設定する。

Q：「19790509」の意味は何か？
A：日付だ。1979年5月9日。

Q：1979年5月9日に何があったのか？
A：作成者の誕生日とか？　ほかの可能性を考えるとしたら、その日はユダヤ系イラン人のビジネスマン、ハビブ・エルガニアンがイランで処刑された日である。エルガニアンはイスラエルのスパイだったとして起訴された。

Q：そんなことが。
A：ええ。

Q：攻撃者は明らかに標的である工場の内部情報に詳しく、内部にスパイがいる可能性がある。ではなぜワームを使ったのか？　なぜスパイ本人に改ざんさせることができなかったのか？
A：わからない。否認できる状況にしておくためだろうか。もしかするとスパイはキーシステムにアクセスできなかったのかもしれない。あるいは、工場にいなくても、スパイが設計計画を入手できたとか？　そもそもスパイなどいなかったとか？

Q：自動実行 ［ウィンドウズの機能。CD-ROM、外付けハードディスク、USBメモリなどをコンピュータに挿入／接続したとき、内部に記録されているプログラムを自動的に起動する］ を無効化すれば、スタックスネットを遮断できるのでは？
A：それはまちがい。スタックスネットはゼロデイ脆弱性を利用していた。初期のスタックスネットは、完全にパッチを適用していても、自動実行を無効化していても、限定された低レベルのユーザー・アカウントで動作させていても、USBドライブ

からプログラムが実行できないようにしても、ウィンドウズのマシンを感染させていただろう。

Q：だが一般的には、ウィンドウズの自動実行の無効化によって、USBワームは遮断できるのではないか?

A：そうではない。コンパニオン型ウイルス［コンピュータに実在するファイル名と同名のファイルを作成し、本物よりも先に起動して感染させるウイルス。本物のファイルを別のファイル名に変え、そのファイルになりすますものもある］への感染など、USBワームが使用する感染拡大の仕組みはほかにもいくつかある。無効化はよい考えだが、万能ではない。

Q：スタックスネットの感染は永遠に続くのか?

A：現在のバージョンは2012年6月24日が「「キル・デート（kill date）」だ。この日に拡散は止まるだろう。

Q：感染したコンピュータの数は?

A：数十万台だろう。

Q：しかし、シーメンスは感染した工場の数を15と発表している。

A：それはあくまでも工場の数だ。マシンの大半は副次的感染だった。つまり、SCADA（監視制御とデータ取得）システムに接続していない通常のホームコンピュータやオフィスコンピュータまでもが感染したのだ。

Q：攻撃者はどうやって、このようなトロイの木馬をセキュリティ対策の施された工場に送り込むことができたのか?

A：たとえば、従業員の自宅に侵入してUSBスティックを探し、それを感染させる。あとは、その従業員が感染したUSBスティックを職場のコンピュータに差し込んで起動させ、感染させるのを待つ。感染はUSBスティックを介して安全なはずの工

場内部に広がっていき、最終的にターゲットにたどり着く。副次的影響として、ワームはこれからもほかのいたるところに拡散を続けるだろう。こうやって世界中に広がっていったのだと思う。

Q：スタックスネットがディープウォーター・ホライズン［メキシコ湾にあるBP社の石油掘削施設］を沈没させ、メキシコ湾に原油を流出させたのか？
A：いや、私たちはそうは考えていない。ディープウォーター・ホライズンは、たしかにシーメンス製PLCシステムを使用してはいたが。

Q：米国上院がスタックスネットに関する公聴会を開いた、というのは事実か？
A：そうだ。

Q：エフセキュアはスタックスネットを検出しているか？
A：検出した。

偽の旗

　サイバー兵器において「否認が可能である」とは、別の当事者を攻撃の加害者に仕立て上げることができるという意味だ。それを利用した軍事作戦は「偽旗作戦」と呼ばれている。その名は、敵対する国の同盟国の旗や降伏を示す旗を船に掲げ、攻撃目標を油断させて近づくという16世紀の海戦における戦法からつけられたものだ。1941年に起きたオーストラリアの軍艦シドニーに対してドイツが行った攻撃［1941年11月19日、シドニーがインド洋上にて怪しいオランダ商船に身元の証明を求めようとしたところ、商船が突如旗を下ろしてドイツの軍艦旗を掲げ、至近距離から攻撃を開始。船の正体は

　2003年にエフセキュアのラボで初めて特定された、国家が画策した最初のマルウェア攻撃の背後にいたのは中国だ。ターゲットは欧米のテクノロジー企業、地理的に中国に近い地域の政府のシステム、中国国内の少数民族だった。2003〜2005年にかけて、私たちエフセキュアはこうしたマルウェアのサンプルを何百も調査し、その手口に詳しくなっていたが、この攻撃の黒幕は中国をおいてほかに考えられなかった。国家がらみのマルウェア攻撃にかけて、中国はもっとも有力な勢力とみられていた。

　そうこうするうちに、2005年秋、中国のものとおぼしき新たなスパイウェアが見つかり、エフセキュアは長い時間をかけてそのサンプル調査を実施した。それまでに見つかったスパイウェアと類似する点はあったものの、ターゲットのタイプがいつもとまったく異なっていたため、ほんとうに中国が作ったものなのかという疑問が生じた。そこでさらに広範な調査をした結果、そのスパイウェアはロシア政府によって開発されたことが明らかになった。ロシアは、ありとあらゆる手を使ってそれが中国製に見えるように細工していた。すべてのタイムスタンプは北京時間に設定されており、拡散に使用されたワード文書は標準中国語版で保存されていた。これがいわゆるサイバー空間の偽旗作戦である。

🔒 新しい軍拡競争

　否認可能性という観点から考えると、国家によるサイバー攻撃のほとんどが、そうと気づかれないままになっていると推測できる。国家の支援を受けて開発されたマルウェアが発見に至るまで何年もかかったケースは、これまでにいくつもある。

代表的なのは、米国が作ったと報じられたマルウェア「フレイム（Flame）」だ。このマルウェアは検出されるまで少なくとも2年間、攻撃に使用されていた。フレイムは一切姿を隠そうとはせず、むしろそれとは逆の動きを見せた。堂々とその場で擬態したのである。たいていのマルウェアのアプリケーションは小型で、ほとんど目立たず、暗号化されていて逆コンパイルが難しい。ところがフレイムは巨大で存在感があり、暗号化されておらず、動作が遅かった。たとえばSQLite［オープン・ソースのデータベース管理システムのひとつ］、SSH［暗号や認証といった技術を利用し、ネットワークを通じて別のコンピュータを安全に遠隔操作するためのプロトコルおよびソフトウェア］、SSL［情報が盗まれるのを防ぐためインターネット上の通信を暗号化する仕組み］、LUA［ゲーム業界で多く利用されるプログラミング言語］用のライブラリを組み込んでおり、最先端のサイバー兵器ではなく、時代に取り残されたビジネスアプリケーションに見えた。それがかなり功を奏し、フレームは何年ものあいだ誰にも注目されなかった。この狡猾で高度なマルウェアは、NSAによって生み出されたものとみられている。

　忘れてはならないのは、オンラインでは攻撃側が常に優位に立っていることだ。新しいサイバー兵器が開発されると、攻撃者は市場で販売されているあらゆるセキュリティソフトを購入し、それらを用いてテストしてから、実際の攻撃に使用する。開発された攻撃コードはおそらく最初の何回かはソフトによって検出されるだろうが、そのたびにコードを変更して再テストするうちに、やがてセキュリティソフトを突破する。何度かテストを行ってコードが検出されないことを確認して初めて、攻撃は実行に移される。つまり、フェアな戦いではない。攻撃側はじっくり時間をかけて相手のセキュリティを研究し、弱点を見つけ出せるのに対し、防衛する側にアドバンテージはなく、新たに発生した攻撃を検知して初めて、しかもただちに対応しなければならないからだ。

効果が大きくて入手しやすく、「もっともらしい否認」性を備えた兵器に人が夢中にならないわけがない。サイバー兵器はまさにその典型であり、それゆえ世界はこの新たな軍拡競争を始めたのだ。

冷戦と核兵器の開発競争は50年ほど続いた。冷戦が終わった現在では、若い人たちは核戦争の脅威がかつてどれほど現実味を帯びて見えたか、理解できないかもしれない。私は、少年だった1970年代、いまにも核戦争が始まって、自分は朝になったら死んでいるんじゃないかと思い、怖くて眠れなかったのを覚えている。ユッカ・リスラッキ［フィンランドのジャーナリスト、ノンフィクション作家］は2010年の著書『Paha sektori』（意味は「不良セクタ」）に、スエズ危機［米国と英国がエジプトのアスワン・ハイダム計画への援助の約束を取消すと通告したのに対し、エジプトのナセル大統領はスエズ運河を国有化すると宣言。これに反発した英国が、フランスとイスラエルに働きかけてともにエジプトに侵攻した］が起きた1956年、英国の基地で米国のパイロットが核爆撃機の操縦席に座り、ジェットエンジンを温めていたときの様子を書いている。もし攻撃命令が出ていたら、標的はフィンランドの空港だったという。その目的は、フィンランドの空港をソ連による西側諸国への侵攻の玄関口にさせないことだった。信じられないだろうが、1950年代、米国はフィンランドに核爆弾を落とすつもりだったのだ。

私たちは現在、核戦争の恐怖に怯えてはいない。これまでに怒りに任せて核兵器が使われたのは広島と長崎の二回だけだ。世界にはいまも1万を超える核兵器が存在しているが、これらは使われるためでなく、もっぱら戦争抑止のために機能していると言っていい。

核を保有する国は、米国、ロシア、中国、英国、フランス、イスラエル、インド、パキスタン、北朝鮮の九か国のみだ。南アフリカとウクライナはかつて核兵器を開発したが、1990年代に放棄した。核兵器に戦争抑止効果があるのは明らかだ。核

保有国は核実験を行わなければならないため、近隣国に知られずに核兵器を開発することはできず、よって私たちはどの国が核兵器を保有しているかがわかる。ある国が核を保有しているとわかれば、ほかの国はその国との衝突を避けようとする。誰も核攻撃の応酬に巻き込まれたいとは思わないからだ。抑止力が機能しているというわけだ（*1）。

　現在の世界は核兵器よりもサイバー兵器を選んでいるが、いずれも技術そのものに罪があるわけではない。もしもすべての原子力科学者が1945年の原爆投下の罪を負わなければならないというのなら、スタックスネットがイランのウラン濃縮システムへの攻撃を開始した2010年以降、すべてのプログラマーにも同じことが言えるだろう。

*1　本書は2022年2月のロシアによるウクライナ侵攻最初期あるいはそれ以前に書かれたものであり、2023年6月現在の情勢を鑑みるとこの記述はやや留保が必要である。

🔒 サイバー戦争の霧

　では、サイバー兵器にも何らかの戦争抑止効果があるのだろうか？　実のところ、その効果は無きに等しいと思っている。そもそも、他国がどこまでサイバー攻撃能力を有しているかを正確に把握するのは難しい。わかっているのは、米国がほかのどの国よりも多くの時間と予算をサイバー攻撃に費やしていることだ。同じように、中国、ロシア、イラン、北朝鮮のサイバー攻撃能力もある程度判明している。だが、例えばインドネシアはどうだろう？　デンマークは？　ウルグアイは？　戦車や戦闘機ならウィキペディアにだってある程度正確な保有数が載っているが、サイバー戦闘能力となるとほとんど未知の世界なのだ。こうした状況を、私は折に触れて「サイバー戦争の霧」と表現してきた。これは、現実世界で起きる戦争について、

戦場における不確定要素の多さや、それによって戦況に対する認識が欠如することを意味する「戦場の霧」ということばに由来する。

サイバー兵器開発競争の激化に伴い、どの国もサイバー戦能力の開発に力を入れるようになった。防衛力の強化も重要だが、ますます関心が高まっているのは攻撃力だ——当然ながら、攻撃力はたしかな防衛力の一部でもあるからだ。そのうえこれから攻撃を仕掛けようというなら、相手の反撃能力を認識しておく必要もある。

やがて時代遅れになるという点では、サイバー兵器もほかの兵器と同じだ。大砲や戦車が古くなれば錆びるだけなのに対し、サイバー兵器の場合は標的の脆弱性にパッチが適用される。新たに開発されたサイバー兵器が、たとえばウィンドウズOSに潜む未知の脆弱性を悪用しているとして、その脆弱性はどれくらいの期間見つからないままでいるだろうか？　1年？それとも5年だろうか？　たとえ脆弱性が発見されずパッチも適用されなかったとしても、ウィンドウズが製品に根本的な変更を加えた結果、その脆弱性が解消することがいつまでもないと言えるだろうか？

ウィンドウズのようなプラットフォームは絶えず変更されるため、攻撃を仕掛けようとする国は常にそれまでに見つかっていない脆弱性を探し続けている。新しいゼロデイ脆弱性を発見するリソースがない国は、よそから購入するしかない。そうしたニーズから、脆弱性の売買を専門に扱う企業向けの市場が作られた。現代の国際法は脆弱性を軍民両用の「製品」、つまりたとえばミサイルシステムに必要なスペア部品と同じ区分のものだと定めている。それら自体は兵器ではないが、国際貿易制限の対象になる。

脆弱性の売買はかなり儲かるので、やりたいと思う起業家がいるのは理解できる。ただし、そうした企業が「セキュリテ

ィ」の看板を掲げているのは不愉快だ。なぜなら、看板とは裏腹に、彼らが顧客に与えているのはセキュリティとは対極にあるものだからだ。そうした企業がウィンドウズにセキュリティホールを見つけたときは、何が何でもその事実をマイクロソフトに知られないようにする。マイクロソフトが脆弱性の存在に気づけば、セキュリティホールにはパッチが適用され、その脆弱性を突いた攻撃コードには価値がなくなる。そのため、脆弱性を取引する業者は、自作の攻撃コードをさまざまな買い手に売り続けるために、すべての脆弱性をできるだけ長いあいだ秘密にするのである。彼らは不安定をばらまいているだけであり、セキュリティ企業などではない。

　新たな脆弱性を発見できず、何らかの理由でオープン市場でそれらを買うこともできないなら、他者が発見した脆弱性を悪用するという方法がある。発見されたあとも、その脆弱性への対策がとられるまでしばらくのあいだは攻撃は可能なのだ──もっとも、いちばん効率的で価値があるのはゼロデイ脆弱性だが。もしあなたがゼロデイ脆弱性に対する攻撃の標的にされたとしたら、それが何かを特定し、その仕組みを解明し、同じテクニックを使って攻撃者にやり返すことができるのもまたあなただけだ。現実世界に例えるなら、近くの部族を攻撃したいときに槍がなかったら、誰かがあなたに向かって槍を投げるのを待ち、その槍を使って攻撃すればいいのだ。2019年春に中国の防衛テクノロジー企業に対して米国の諜報機関が仕掛けた攻撃は、まさにそうした結果に終わった。攻撃が発覚したそのわずか数週間後には、それと同じ脆弱性を利用して米国のターゲットへの反撃が実行されたのだ。

　新しい脆弱性を発見すると、国の諜報機関は往々にしてジレンマに直面する。NSAには米国の国民を守る使命がある。2014年、NSAのリサーチャーはウィンドウズ・カーネルに脆弱性「エターナルブルー（EternalBlue）」を発見した。それを悪

用すれば、攻撃者はすべてのウィンドウズシステムに侵入することができた。セキュリティホールを検出したNSAにはふたつの選択肢があった。ひとつはマイクロソフトに連絡して脆弱性を報告し、対応するパッチの開発を依頼すること。そうすれば、NSAはウィンドウズを利用する2億人の米国人を守ることができただろう。もうひとつの選択肢は、マイクロソフトには連絡せず、脆弱性を見つけたことは秘密にし、それを突くためのツールを開発して米国の敵が保有するコンピュータを攻撃し、結果的に米国の国民を守ることだった。

どちらが正しいかはさておき、NSAがどちらを選んだかはわかっている──後者だ。攻撃に使うと決めたのであれば、彼らは脆弱性を見つけ、それを利用して攻撃ツールを開発していることを絶対に隠し通さなければならなかった。残念ながら、この場合はそれができなかった。2017年春、NSAの把握する「エターナルブルー」に関する情報が流出し、ハッカーの手に渡ったのである。最終的に、それは北朝鮮にまで拡散した。北朝鮮政府がその脆弱性につけ込んだランサムウェアで攻撃を開始すると、被害は米国を含め世界中に及んだ。NSAにとっては悪夢のようなできごとだったにちがいない。発見した脆弱性が、まさに自分たちが守るべき人々への攻撃に使われたのだから。しかも、ターゲットが脆弱なままだったのは、NSAが見つけたセキュリティホールをマイクロソフトに報告しなかったせいなのだ。

サイバー兵器が旧式化するのは避けられず、サイバー戦争にも「霧」がかかっていることから、サイバー兵器開発競争はそれ特有の危険性をはらんでいる。各国の軍隊は巨額の費用を投じてサイバー兵器の開発を進めている（例をあげると、2019年の米国サイバー軍［ネットワーク空間のサイバー戦を担う専門部隊］の予算は6億1000万ドル）。どんな兵器が作られているかは公表されていないため、抑止力にもならない。しかも数年もすれば使いものにな

らなくなり、投資も水の泡だ。サイバー兵器は戦争以外の目的にも利用できるので、投資額のせめて一部でも回収するため、型落ち寸前のサイバー兵器を民間の諜報会社［特殊部隊や諜報機関の出身者がそのスキルを活かし、幹部の身辺警護や誘拐された社員の解放交渉などの危険な任務を請け負う、企業向けの危機管理会社］に提供するというシナリオは容易に想像できる。

　いつか私たちは、国のサイバー攻撃能力を見せつけて抑止力とするためのサイバー兵器版軍事パレードを、どういう形でか目にするかもしれない。外国から観客を招いて行われるサイバー軍事演習などが考えられるが、もちろんリスクは伴うだろう。未知の脆弱性に対する攻撃を実演して見せれば脆弱性の存在が外国の知るところとなり、悪用される結果を招きかねいからだ。誰かに向かって槍を投げるのなら、それを投げ返されるされる恐れがあることを常に覚悟しておかなければならない。

🔒 ウクライナの「IT軍」

　2015年12月23日、ウクライナで大規模なサイバー攻撃が発生した。標的となったのはウクライナの長距離送電網の管理を担う電力会社のひとつ、プリカルパッチャブオブレネルホ（Prykarpattyaoblenergo）だ。攻撃者はロシアから送電網管理者のコンピュータに侵入し、社員が自分のコンピュータを使えないようにした。キーボードとマウスの機能を停止させたのだ。攻撃者が重要なワークステーションを掌握したため、社員は自分たちのコンピュータ画面に攻撃が及び、電力網がひとつ、またひとつと停止していくのをなすすべなく見ているよりほかなかった。最後に、攻撃者は送電網管理者のいる建物への電力供給も停止させた。社員は文字通り暗闇に取り残された——真冬に電気の届かぬなかクリスマスの準備をせざるを得

なくなった、23万人のウクライナ国民と同じように。

　供給停止は一時的なもので、プリカルパッチャブオブレネルホは二～三時間以内に電力を復旧させることができた。しかし、そのためには技術者が変電所まで出向き、スイッチを入れる必要があった。攻撃者が遠隔管理アダプタのファームウェアを上書きしたので、電力網の管理は変電所の現地でしか行うことができなくなっていたのだ。

　この攻撃は、攻撃者から社員に宛てて予告のメールが送られた四か月前に事実上始まっていた。メッセージには、怪しいところなどひとつもなさそうなワード文書が添付されていた。だが実は、そのワード文書には攻撃者が社員のコンピュータを監視できるようにするための隠されたバックドア［攻撃者が管理者やユーザーに気づかれないようにコンピュータに不正に侵入し、こっそり遠隔操作するための窓口］が仕込まれていたのだ。攻撃者はその後数か月かけて送電網がどう機能するか、その管理ソフトをどう使用するのかを学び、満を持して攻撃に及んだ。

　ウクライナで停電が発生したと知って、私はまず天気予報サイトを開き、ウクライナ西部がどれくらい寒いかを確認した。冬にこのようなサイバー攻撃を受けた社会がいかに脆いものであるかは容易に想像がつく。幸い、その日のキエフの冷え込みは華氏30度［摂氏マイナス1度］程度で、電力もかなり早く回復した。このときは、何とか乗り切ったわけだ。

　2022年にウクライナとロシアの関係がふたたび悪化して戦争に突入したが、今回はウクライナの準備も整っていた。事実、サイバー兵器に対する防衛にかけては、ウクライナはもっとも実践的な経験を有する国と言えるかもしれない。ほとんどの国は戦争ゲームをしたり、架空の敵を想定した訓練を実施したりするだけだが、ウクライナは8年間もほんものの敵と実際に戦ってきたのだ。

　政府が世界中のハッカーに戦争への協力を求める時代が来

るとは予測していなかったが、2022年2月、それが現実に起きた。ウクライナのミハイロ・フェドロフ副首相兼デジタル改革大臣がテレグラムに開設した公式チャンネルで、「IT 軍」に参加する有志を募ったのだ。このチャンネルにはロシア政府や企業などのウェブサイトが掲載されて世界中のハッカーに攻撃が呼びかけられ、実際に7000以上の攻撃が行われている。

🔒 平昌オリンピック事件

2018年の冬季オリンピックは韓国の平昌で開かれた。スノーボードでクロエ・キムが金メダルを獲得し、フィギュアスケートの長洲未来がトリプルアクセルを成功させたのが印象深い大会だ。

平昌オリンピックは、情報セキュリティにかかわる人々には最悪のオンライン攻撃を受けたスポーツ大会として記憶されている。攻撃は大会の何か月も前、組織委員会のメンバーに悪意あるワード文書が送られたときから始まっていた。これらの文書にはVIP招待客のリストが含まれていたと言われているが、そこに仕込まれたマルウェアが大会の内部ネットワークに侵入したのだ。

開会式が行われたのは2018年2月9日。式が始まってすぐに、オリンピックの公式スマートフォン・アプリが停止し、スタジアム内のWi-Fiも使えなくなった。スタジアムには開会式の模様を生配信する数百台のスマートTVがあったが、画面が突然真っ暗になり、会場に入るためのゲートも動作を停止した。

組織委員会がコントロールを取り戻すには、ネットワークを公衆インターネットから完全に切り離すしかなかった。大会公式サイトのインターネット接続も遮断された。その後12時間のあいだに復旧作業が進められ、競技の初日が始まる直前にようやくシステムは回復したので、オリンピック組織委員会への

サイバー攻撃が広く報道されることはなかった。

攻撃に用いられたテクノロジーを詳細に分析してみたところ、国家ぐるみのドーピング問題によって大会から排除されたロシアによる攻撃の可能性があると思われた。ある種の報復だったのだろうか？　マルウェアの動作や拡散に使用されたワード文書のテクノロジーの細部は、あのノットペトヤのものに類似していた。2015年のウクライナと2018年の韓国、どちらのケースにも、ロシアの軍事諜報機関であるGRUの関与が疑われている。

🔒 政府が仕掛けるマルウェア

ウイルスを書く政府職員がいるなんて言うと奇妙に聞こえるかもしれないが、驚くべきことでも何でもない。オンライン攻撃はいまや、国家の諜報活動や工作の主要な手段なのだ。各国政府はオンライン攻撃を、諜報、破壊工作、戦争の三つの目的で利用する。例外は北朝鮮で、彼らはお金を盗むためにもオンライン攻撃を使う。そのような不正行為に手を出さなければならないほど経済制裁に苦しみ、困窮している国は北朝鮮だけだ。

北朝鮮はさまざまなオンライン攻撃に関与し、独自のマルウェアを開発しているが、世界レベルの高度な専門知識はない。トップクラスの攻撃者は、米国にいる。サイバー攻撃能力の開発にこれほど長い年月をかけて、これほど多額の資金を投じてきた国は、ほかにないからだ。同盟国（「ファイブ・アイズ」［英国、米国、カナダ、オーストラリア、ニュージーランドの五か国による、UKUSA協定に基づく機密情報共有の枠組み］の多くと同じように米国もサイバー攻撃の技術を開発し実際に使っているのだが、それが発覚することはめったにない。そこには考え方のちがいがある。中国やロシアはサイバー攻撃が自分たちの仕業だと知られることをま

ったく気にしていない。一方、米国や英国、オーストラリアが他国にオンライン攻撃を実行していることが露見しようものなら世界中で大きく報道されるだろうし、彼らはそれをきわめて恥ずべき事態ととらえている。

　政府のサイバー攻撃に最大の予算を投じ、最高の専門知識を有するのが米国なら、ナンバー2はどこの国か？　それはイスラエルだろう。イスラエルの攻撃能力の大部分は米国との密接な協力関係によって得られたものだが、同時に有能なテクノロジー部門、消えることのない緊張状態、そして全国民を対象とする徴兵制度の結果でもある。人口わずか800万人ながら、イスラエルは情報セキュリティ製品の主要な生産国であり、テクノロジーハブ〔テクノロジー関連企業やスタートアップ企業が集積する場所のこと〕でもあるのだ。

　イスラエルのサイバー攻撃能力の高さを如実に示すのが、2015年に起きたロシアのカペルスキー研究所の内部ネットワークへの侵入だ。カペルスキーは30か国に4000人を超える従業員を抱える、世界最先端の情報セキュリティ企業のひとつだ。私はカペルスキーのリサーチャーを何人も知っているが、彼らは世界でもっとも優秀な人たちである。にもかかわらず、イスラエルの諜報機関はモスクワにあるカペルスキー本部のシステムに侵入し、サーバやワークステーションをハッキングしたうえ、それが数か月ものあいだ発覚しなかったのだ。内部ネットワークのマルウェア感染がわかったのは、新しい検出システムを開発中のリサーチャーが自分のコンピュータでプロトタイプを作動させたときだった。システムがなぜ異常を検知するのか不思議に思ったリサーチャーが調査したところ、プロトタイプの動作に問題があるのではなく、仕事用のコンピュータが感染していることが判明した。

　カペルスキーへの攻撃にゼロデイ脆弱性とフォックスコン〔Foxconn＝台湾に本社を置く通信・電子機器企業、鴻海精密工業の自社ブラン

ド。iPhoneを受託製造していることでも有名］から盗んだ認証システムが使われていたことが、イスラエルの諜報活動能力がいかに高いかを雄弁に物語っている。同様のテクニックはそれ以前にスタックスネットでも確認されていた。カペルスキーがねらわれたのはおそらく、カペルスキーにより構築されたセキュリティ・システムを迂回するために、製品開発情報を手に入れようとしたからだろう。

🔒 ロシアと中国のサイバー攻撃力

　米国とイスラエルに次いでサイバー攻撃能力が高いのは、現実世界、オンラインの両方で超大国の座に君臨するロシアと中国だ。ロシアは世界最大の面積をもつのに対し、中国は世界最大の人口をもつ。どちらの国にも世界トップクラスの大学がいくつもあり、有数の数学者やプログラマーを何人も輩出しているなど共通点の多い両国だが、重要なちがいもいくつかある。たとえば、中国はその専門知識や製品を世界中に輸出して成功を収めているが、ロシアの技術輸出は意外なほど少ない。

　多くの人は、ロシアのスマートフォンやコンピュータ製品には何があるかと言われても思いつかないだろう。世界でいちばん有名なロシア製のソフトウェアは、実は1984年に作られたテトリスなのだ！　それを除けば、世界に普及しているロシアのテクノロジー企業やその製品は、業界にかかわりのない人にはなじみのないものばかりだ──先述のカペルスキー、「アクロニス（Acronis）」［ウィンドウズ、マックなどのデータバックアップやディスク管理のためのソフトウェア等を開発・販売する。本社はスイスにあるが、創設者がロシア出身］、「パラレルス（Parallels）」［マックおよびウィンドウズ向けのデスクトップ仮想化ソリューションなどを開発するソフトウェア会社。本社は米国にあるが創設者がロシア人。2018年にカナダ企業コーレルに買収された］、「エンジ

ンエックス（Nginx）」［オープン・ソースのウェブサーバ］、「ドクター・ウェブ（Dr. Web）」［セキュリティ・ソフトを開発するITソリューション・ベンダー］、「アグニタム（Agnitum）」［セキュリティ・ソフトウェア開発企業］、「シーボス（Cboss）」［通信会社向けのITソリューションの開発を行う企業］などなど。

　ロシア政府によるサイバー攻撃に使用された「ブラックエナジー（BlackEnergy）」や「サンバースト（Sunburst）」といったマルウェアを見れば、ロシアが高度な専門知識を有していることは明らかだ。サンバーストはバックドア型マルウェアで、米国企業ソーラーウィンズのシステム内で2020年12月に発見された。攻撃者はずっと前からネットワークに入り込み、新たにコンパイルされたソフトウェアがサンバーストに自動的に感染するよう、ソーラーウィンズの開発システムを改ざんしていたのだ。これらの改ざんはコンパイルされたバイナリコードにだけ見られた。

　ロシアと中国のサイバー攻撃の専門技術は侮りがたいが、それでもこの領域では米国が優位に立っている。先にも述べたスタックスネットのケースが、その事実をよく表している。

🔒 損害保険とサイバー戦争

　「本契約は、不可抗力、戦争、内乱、または異常気象によって引き起こされる損害には適用されません」。ほぼすべての保険契約には、このような免責事項が設けられている。戦争や人間の力の及ばない自然現象に起因する損害は、保険によって補償されないのである。

　ロシアのノットペトヤの攻撃を受けた企業のなかには、被害のほとんどは事業中断保険［災害による物的損害、機械の故障、労働争議、サイバー攻撃、その他のリスク事象など、さまざまな要因によって事業が中断したときの損失を補償する保険］またはサイバー保険契約の補償範囲であるはずだとして保険金を請求した企業があった。支払

いに応じた保険会社もあったが、少なくとも二社は、ノットペトヤによる攻撃は通常の事故ではなく戦争行為だと主張して、請求に異議を唱えた。

　ことは単純ではないが、私は保険会社の主張が正しいと思う。ノットペトヤによる攻撃はロシア軍が画策したもので、標的は紛争状態にあるウクライナだった。ノットペトヤがサイバー兵器でなく、その攻撃が戦争行為とみなされないなら、いったい何をサイバー兵器、サイバー戦争と言うのだろう?

🔒 「ホワイトハウスが爆発した」

　2013年4月23日、AP通信が衝撃的な事件をツイートした。ホワイトハウスで二度の爆発が起き、バラク・オバマ大統領が負傷したというのだ。

　だが、それはフェイクニュースだった。AP通信のツイッターアカウントがハッキングを受けたのであって、件のツイートは「シリア電子軍」を名乗る集団が投稿したものだった。シリアのバッシャール・アサド政権を支持するその集団は、2011〜2015年にかけてオンライン攻撃を繰り返し実行していた。

　AP通信のツイッターアカウントには1000万人を超えるフォロワーがいて、投稿される情報を頼りにしている。世界中の人々がフェイクツイートを見たわけだが、実はそのメッセージは人間に向けて送られたものではなかった。ターゲットはロボットだったのだ。

　現在、80%を超える証券取引がロボット（短縮形は「ボット」）によって処理されている。自動システムが株式市場の動きを追跡し、膨大な数の高頻度取引（HFT）を実行する。HFT業者は取引所間に新たに専用の光ファイバーケーブルを設置してネットワークの高速化を図り、わずか数ミリ秒が勝敗を分ける世界で競争優位を獲得しようとしている。この事業は規模がた

いへん大きく、HFT取引に特化して最適化された高速ネットワークカードの設計・構築を行うソーラーフレアのような企業も生まれている。

　HFTボットは一般的なニュースを読み、理解して取引の参考にしている。上場企業が中間報告書を出せば、ボットは人間よりも迅速に重要な数字を見つけ出し、それに基づいて株を売るべきか買うべきかを決める。

　AP通信のツイッターアカウントはHFT取引の重要なデータ源であり、おそらくほぼすべてのHFTボットがフォローしている。「ホワイトハウス」「爆発」「大統領負傷」といったキーワードをもとに、件のツイートをきわめて悪いニュースとボットが解釈するのは自然なことだ。

　このフェイクニュースとHFTボット取引の顛末はどうなったか？　世界の代表的な株価指数であるS&P500種は急落し、ボットの管理者がホワイトハウスの無事を確認すると、数分で値を戻した。

　この攻撃で重要なのは、株価が暴落するタイミングをほぼ正確に知り得たのは、この虚偽の情報を流した攻撃者だけであるということだ。彼らだけが、S&P500種の時価総額が一瞬にして1000億ドル以上吹き飛ぶほどの人為的な暴落を利用して、わずか数分間で金銭的な利益を手に入れられたのだ。

🔒 データを政府に売り渡す企業

　情報セキュリティ産業は、そこに属する企業への信頼で成り立っている。信頼を失えば、業界でやっていくのは難しくなる。だから、どの企業もよい評判を確立しなければならない。2014年、業界大手の一社に私は大きく失望させられることになった。

　RSAカンファレンスは、情報セキュリティ業界最大のカンフ

ァレンスだ。ブラックハットやデフコン（DEF CON）のほうがずっと有名かもしれないが、規模で言えばRSAがもっとも大きい。期間中は、情報セキュリティ業界の関係者数万人が世界各国からサンフランシスコに集まってくる。

これはもともと暗号産業のためのカンファレンスだった。創設したのは暗号アルゴリズム「RSA」で知られ、開発者——ロン・リベスト（Ron Rivest）、アディ・シャミア（Adi Shamir）、レオナルド・エーデルマン（Leonard Adleman）——の名字の頭文字をとって名づけられた企業、RSAである。

2013年も終わりに近づくころ、2014年のカンファレンスに向けてスピーチ原稿を作成していた私のもとに、ロイターから衝撃のニュースが飛び込んできた。RSAが密かにNSAに協力し、意図的に性能を低下させたセキュリティ製品を顧客に販売していたことがわかったというのだ［2013年12月、NSAがRSAに1000万ドルを支払ってRSAのセキュリティソフトウェアに暗号化システムを採用するように働きかけた、とロイターが報じた。記事によれば、乱数生成アルゴリズム「Dual Elliptic Curve Deterministic Random Bit Generation」（Dual_EC_DRBG）に、NSAが暗号化された通信を解読できるようにするためのバックドアが設けられていたという］。

丸一日自分の良心と葛藤した末、翌12月24日、私は早起きしてRSAの幹部に宛てた公開書簡を書いた。

EMC会長兼CEOジョセフ・M・トゥッチ、EMCセキュリティ部門RSAエグゼクティブ・チェアマン　アート・コビエロへの公開書簡

ジョセフ、そしてアートへ

おふたりは私のことはご存じないと思います。

私は1991年からコンピュータ・セキュリティ業界で働いています。最近は、コンピュータ・セキュリティをテーマに講演を行う機会が増えました。実は、RSAカンファレンスUSA、RSAカンファレンス・ヨーロッパ、RSAカンファレンス・ジャパンでも8回お話させていただいたことがあります。会場の壁には「業界のエキスパート」のひとりとして写真を飾っていただきました。

12月20日、RSAが1000万ドルと引き換えに米国国家安全保障局（NSA）から乱数発生器を入手し、それをある製品のデフォルト・オプションとして設定したとロイターが報道しました。RSAはこの件についてコメントを発表しましたが、これまでのところ記事の内容を否定していません（*1）。結局、NSAの乱数発生器にはバックドアを作るような欠陥が意図的に仕込まれていたことが判明しました。仕掛けたのはNSAではないかとの憶測が広まるなかでも、RSAは何年間もその乱数発生器を使用し続けていました。

この事態をうけて、私は2014年2月にサンフランシスコで開かれるRSAカンファレンスでの講演を辞退させていただくことにしました。

私が予定していた講演のタイトルは、奇しくも「マルウェア作成者としての政府（Governments as Malware Authors）」でした。

RSAのような数十億ドル規模の企業や、数百万ドル規模のカンファレンスが、NSAとの秘密契約が露見した結果として窮地に陥るようなことはないでしょう。それに、私以外の人が講演をキャンセルするとも思いません。何といっても講演者のほとんどは米国の方々です。自分ではない、しかも外国人をターゲットにした監視行為に関心を向ける理由などあるでしょ

うか。米国諜報機関の監視作戦のターゲットは外国人なのですから。そうは言っても、私は外国人です。カンファレンスへの協力は遠慮することにします。

敬具
ミッコ・ヒッポネン

追伸　ほかの講演者の多くも、抗議の意味を込めてRSA2014への出席をキャンセルすることにしたと聞いて頼もしく思う反面、私がボイコットを主導したと思われるのは困ります。私は自分がしなければならないと思ったことをしただけです。ほかの方々も自分で決断を下しています。それに、私はこのことに関するインタビューはすべてお断りしてきましたし、これからもそうするつもりです。私が言いたいことはすべてこの公開書簡に書いてあります。

　それから数年後には、バックドアが設けられた乱数生成アルゴリズム「Dual_EC_DRBG」を実装するようNSAから圧力をかけられたのはRSAだけでなかったことがわかった。ネットワーク機器を製造するジュニパー・ネットワークスも、「ネットスクリーン（Netscreen）」のファイアウォールにそのアルゴリズムを使用していた。その事実は、中国人スパイがセキュリティホールを使って米国のターゲットに侵入したことで発覚した。

　2014年以降私はRSAカンファレンスには出席していないが、カンファレンスの日程に合わせて毎年サンフランシスコには行っている。世界中から集まってきたセキュリティ業界のありとあらゆる関係者に会えるからだ。一方で、あれからRSAは二度買収されている〔2016年に親会社のEMCがデルに買収され、さらに2020年に

はデルからシンフォニー・テクノロジー・グループに売却された]。だから、も
うボイコットはおしまいにすることにした。近い将来、私が
RSAカンファレンスにまた参加する可能性は高い──RSAの
新たな醜聞でも明らかにならない限りは。

*1　実際には同社は米国時間12月23日付けのブログでこの記事を全面的に
　　否定する旨を発表しており、この記述はフィンランドとの10時間の時差
　　による行きちがいによるものの可能性がある。

CHAPTER 8

インターネットと
私たちの未来

機械学習と人工知能に牽引された次な
るテクノロジーの革命は、もう始まっ
ている。また、テクノロジーが可能に
した通貨の新時代の到来も目前に迫っ
ている。一方、それらのあとに続くと
予想される革命は、まるでSFのようで
現実味がない。

🔒 人工知能は人類の脅威か？

　私が初めてAIのことを知ったのは、1984年だ。フィンランド版『ポピュラー・サイエンス』誌［米国の大衆向け科学誌］である『テクニーカン・マーイルマ（Tekniikan Maailma=テクノロジーの世界）』誌を読んでいて、興味深い記事を見つけたのだ。今後コンピュータの性能が向上し続けていけば、いずれすべての面で人間の能力を超えるだろう、と書かれたその記事で、人間よりも賢いコンピュータは「unnatural intelligence（人為的な知能）」と呼ばれていた。

　知能を測る基準のひとつとしてよく用いられるのが、チェスの能力だ。『テクニーカン・マーイルマ』誌の記事は、「いつか、世界最強のチェスのグランドマスターを打ち負かすだけの知能を備えたコンピュータができるかもしれない。そうなれば、人工知能の時代が来て、コンピュータの知性が人間のそれを上回るだろう」と予測していた。それが現実になるまでに要した期間は、わずか13年だった。1997年5月、IBM製スーパーコンピュータ、「ディープブルー（Deep Blue）」がロシア人グランドマスターのガルリ・カスパロフを負かしたのである。そして、その10年あまりのあいだに、人工知能に対する人々の考え方は変化していた。ディープブルーは単に人間よりもチェスの技能に秀でているというのではなく、対局中に対戦相手がとる戦術とその結果をすべて予測し、途方もない計算を行って、人間のプレーヤーを倒せるほどに高度な能力をもつコンピュータとみなされるようになった。

　コンピュータが人間以上の知的能力をもつことを証明するために、私たちはさまざまな目標を設定してきた。目標が達成されると、そのたびに私たちは「これではほんとうに知的能力が高いとは言えない」と結論づけて、目標をさらに遠くに置く、ということを繰り返している。私は、そう遠くない将来、あら

ゆる点で人間の能力を超え、人間は地球上で二番目に知的な生物になったと誰もが納得できるだけの知性を備えた、真の人工知能が完成すると信じている。

　どんな人工知能であれば懐疑論者にそのことを納得させられるだろうか、と想像してみるのは楽しい。どれだけの／どのような知性があれば、人間を凌いだと言えるのだろうか？　それほどまでに並はずれた知性とは、例えるならひとつひとつの神経細胞やシナプスに至るまでを模倣し、人間の脳をまるごとシミュレーションできるコンピュータであれば備え得るものなだろうか。人間の脳を再現するのは至難の業だが、それでも解決できない問題ではない。私たちの理解が進み、コンピュータの能力が向上すれば、いつの日か実現できるはずだと思う。

　もしそのような脳のシミュレーターとも言えるものの開発が成功したら、まったく人間のようでありながら、人間の身体をもたないコンピュータが完成するかもしれない。詩を書き、空想にふけり、喜んだり悲しんだり、夢を見たりするコンピュータ。それらは独立して自由に、自分の力で生きたいと思うかもしれない。仕事だってするだろう。プログラミングなどのリモートワークは、脳シミュレーターにうってつけだ。人間と同じように愛を求める可能性もある。誰かとデートもするだろう。その相手は人間かもしれないし、別の脳シミュレーターかもしれない。

　プログラミングできる人工知能という発想は興味深い。人工知能はそれ自体がプログラムコードなので、自らの動作を検証・改善する能力を組み込むことができるだろう。つまりAIは自分の改良版のコードを作成し、その改良版がさらなる改良版のコードを作る、といったように、自力で短期間に進化を続けていく。ほどなくして、もともとのAIがどう機能していたのだったか、私たちは把握しきれなくなるだろう。

　ひとつの脳をシミュレートできるようになれば、より多くのリソースを投じて強力なコンピュータに数百万の脳をシミュレー

トさせることも可能になるかもしれない。80億の人間の脳をシミュレートできるマシンができたとしたら、それは全人類よりも高い知能をもつ存在だろう。

人間の脳をシミュレーションするというのは昔ながらの魅力的なアイデアだが、現実のAI開発はまったく新しい方向に進んでいる。大半のAI研究は、プログラムされた指示に従うのではなく、マシンがそれぞれの状況に応じて望ましい結果を自動的に見つけるための機械学習にフォーカスしているのだ。

立体駐車場とグーグル検索は、機械学習をベースにした人工知能の身近な例である。最近では、ドライバーはただ車を入れるだけでいいという立体駐車場が増えている。カメラが車のナンバープレートを撮影して自動で読み取り、入出庫の管理をしてくれるからだ。画像内の文字列の特定はコンピュータには容易ではないが、どうすればうまくやれるかを、コンピュータは時間をかけて学習していった。まるでちょっとしたマジックだ——あなたが探しているものを正確に見つけられる、グーグルの不思議な検索能力と同じように。

だが、これらは限定的な機能に特化した人工知能の例である。現代のコンピュータの学習能力は向上しているが、その範囲はかなり狭い。駐車場のコンピュータはナンバープレートの認識能力に、グーグルの検索エンジンは検索力に秀でているが、前者は英語をフランス語に翻訳することはできないし、後者は詩を書くことができない。その両方ができるうえに、子どもを育て、車線を守って車を運転することもできるのが人間だ。そうした幅広い知的能力という点では、いまでも人間が機械をはるかに上回っている。

情報セキュリティの分野では、さまざまな企業が長年、機械学習を基盤としたシステムの開発に取り組んでいる。エフセキュアのラボでは、2005年に自動解析システムの開発がスタ

ートした。開発途中の自己学習による分析システムに「自動解析」などという控えめなことばを使ったところが、いかにもフィンランド人らしいと言えるかもしれない。その数年後、米国の競合企業が次々に発表したシステムはいずれもエフセキュアのものほど高度ではなかったが、彼らには名前を考える才能があった──それらを「機械学習」「人工知能」と呼んだのだ！

　自らが生きる生物圏で自分たちを超える最高の知能を生み出すことは、人類の進化における根源的な過ちのように聞こえるかもしれない。地球上に私たちの知能を超える生物が生まれたら、私たちの存在そのものが存続の危機に瀕する可能性がある。高度な人工知能に、人間はとうてい太刀打ちなどできないだろう。

　「AIの知能が高くなりすぎたら、ただスイッチをオフにすればいいだけだ」そう言って現実から目を逸らすのは簡単だ。だが、優れた人工知能ならば私たちのすべての動きを予測し、私たちが想像だにしないような方法で確実に生き残るにちがいない。

　私はスタートアップ起業家ユフォ・ペルトーマの講演を聞いたことがある。テーマは人工知能だったはずが、彼はクズリ［北米産のイタチ科の動物］について語り出した。彼はクズリの写真を見せながら、縄張りなどの習性や群の大きさを紹介した。そして「クズリの生態はよくわかっていないが、それは詳しい調査が行われていないからだ」と述べた。話を聞いていた人たちは顔を見合わせ、ユフォはなぜテーマに関係なさそうなクズリの話をしているのだろうと思った。

　ようやく本題に入ると、ユフォは人間よりも賢い機械が完成するまでの道筋について説明した。AIが人間を滅ぼそうとするかもしれないという懸念はあるか、と彼は聴衆に問いかけ、「いや、そんな心配はないだろう」と答えた。高度な知性を備え

たAIが人間に強く抱く興味はきっと、私たちがクズリに対して抱いているのと同じ程度だと思われるからだ。つまり、AIは人間の存在や好みの食べ物、自然発生的な群の大きさなどをある程度は認識するだろうが、関心をもつのはそこまでだ。もちろん、高度な知性をもつAIが人類を地球上から消し去ることはできる。私たちがクズリを絶滅させることができるのと同じように。だが、誰もわざわざそんなことをしようとは思わない。それとまったく同じ理屈なのだ！

🔒 「AIは仕事を奪う」のか

　「人工知能は人間の仕事を奪う」という話もある。自分が失業するかもしれないと思えば、あたりまえだが気分はよくない。だが、いずれにせよこの先、たぶん驚異的なまでに、それは現実になっていくだろう。たとえば物流倉庫会社の一部では、すでにAIがピッキングを任されている。ただし、ロボットが棚から商品を選ぶわけではない。倉庫でピッキング作業をしているのはいまも従業員だが、彼らに指示を出す、いわば上司がAIなのである。人間の労働者はイヤホンをつけて、次はどのエリアに行って何をするかに関するコンピュータの指示を聞く。たしかに機械なら人間以上に人間の作業をうまく最適化できるが、そのリーダーシップは「人間性」とはほど遠いものだ。

　18世紀に人為的な動力（蒸気機関を筆頭に）が開発されると、あれよあれよという間に世界は変わった。並はずれた腕力が求められなくなり、多くの肉体労働者が職を失った。レンガを運んだり荷馬車を引いたりしていた人たちは蒸気機関を呪ったが、それが世にもたらした変化は人類の発展に大きく貢献した。同じように、近い将来プログラマーや作曲家、詩人といった人々は自分の仕事を奪ったAIに恨みを抱くことになるかもしれ

ない。だが、たとえそうであっても、そのうち機械は偉大な詩人よりもすばらしい、機知に富んだ、深遠な、心を揺さぶる叙情詩を書くようになる。しかも、人間よりも安価に。かつてのレンガ運搬人のように、仕事をなくしたクリエイティブ・ワーカーたちがさらにいいやり方を見つけられるよう、願うしかないのだ。

🔒 AIが作るマルウェア

　情報セキュリティ企業は長年、ユーザーの保護に機械学習と人工知能を利用してきた。それゆえサイバー攻撃者もAIを使っていると思われがちだが、実はそうではない。少なくともいまのところは、であるが。

　オンラインにはネットワーク攻撃に利用されているAIシステムが数多くある。ただし、それらはあくまで大学や情報セキュリティ企業によって行われている実験の一環であって、犯罪者による実際の攻撃ではない。自動車が衝突実験を繰り返せば繰り返すほど安全性能は高まるように、あくまで実験であるうちは、AIが攻撃を繰り返すほど、それによってセキュリティは弱まるのでなく、向上する結果になる。

　では、なぜ犯罪者は機械学習を使ってマルウェアを開発しないのか？　それはたぶん、AIシステムを構築できるだけの能力があれば、高い収入を得られるからだろう。AIのエキスパートは世界中で引っ張りだこだ。それだけ優秀ならば、わざわざ犯罪に手を染める必要などない。

　とはいえ、AIの悪用を防ぐ障壁は低くなる一方だ。遠くない将来、きっとどこかの不心得者がAIを使いこなせるだけの力をつける。そうなれば、AI技術を駆使した悪意あるサイバー攻撃をそこかしこで目にするようになるだろう。

🔒 メタバースが変えるもの

　私は古いビデオゲーム機を集めている。使ったことのあるいちばん古いVRヘッドセットは、1983年製の「ベクトレックス3Dイメージャー（Vectrex 3D Imager）」だ。まるでゴーグルのような形をしたこのヘッドセットをつければ立体的な世界が見えるのだが、画質はリアルとはほど遠かった。一方、最新式のVRヘッドセットなら、ユーザーは質の高い仮想世界を自分の好きなように作り上げ、堪能することができる。

　VRプロジェクトの大半は、ゲーム、あるいはズームやチームスの代わりにVRを使うバーチャル会議に関連するものだ。メタ（旧フェイスブック）が現在そうしたプロジェクトを提案している。

　しかし、最大のメタバース革命はバーチャル・アバター［VR空間で自分の分身として動くキャラクター］とまったく関係ないところで起きるかもしれない。

　私はヘッドセットをつけて長い時間過ごしているプログラマーを、すでに何人か知っている。彼らはVR環境を従来のディスプレイやスクリーンの代わりに使っている。彼らにとってのVR空間は、コードがびっしりと書かれた複数の大型スクリーンを備えたオフィスルームだ。VRでは、スクリーンの大きさ、配置、形などを自由に変えられる。コードを書くスペースがもっとほしければ、ボタンひとつで新しいスクリーンを追加することもできる。同じように、VRヘッドセットはホームシアターの代わりになる。もうビデオプロジェクターもサブウーファー［ホームシアターには不可欠な、メインスピーカーを補強するために低音だけを再生するスピーカー］もいらない。VRヘッドセットとヘッドホンさえあれば、まるで映画館にいるように自宅で超大画面の映画を楽しめるのだから。

　ヘッドセットの解像度が高ければ、画像のクリアなディスプレイやIMAXスクリーンを仮想世界でも実現させることができる。

いずれ、現実世界は仮想世界の魅力に太刀打ちできなくなり、ほとんどの時間をVRゴーグルをつけて過ごす人が増えるだろう。その人たちが現実世界に戻るのは寝るときだけになるのかもしれない。その生活を送る人が作るものは、世界をどう変えるのだろうか。

🔒 兵器の未来

　テクノロジーがこれまで戦争のやり方や紛争解決の方法に大きな影響を及ぼしてきたことは、前に述べた。サイバー兵器によって戦争は新たな領域に突入したが、テクノロジーの発達がそこで終わるわけではないことを忘れてはならない。将来、飛行機の発明と同じくらい革新的な、新しい時代の戦争が幕を開けるだろう。

　では、未来の戦争とはどんなものか？　それはわからない。いずれにせよ、テクノロジーがこれから世に生まれるものの形を決めるのはたしかだ。未来は、たとえばナノ兵器を使った戦争があたりまえになるなど、SFさながらの様相を呈するかもしれない。

　ナノ兵器とはいったい何かって？　有害なナノ粒子がその一例だ。戦争に使われるとすれば、まず霧状のナノ粒子状兵器を敵のテリトリーに噴霧する。兵士がそれを吸い込めば粒子は血液中に入り、さまざまな組織や器官に浸透していく。それがやがて脳に達し、兵士の思考に変化をもたらす……といった方法が考えられる。まるでSFじゃないかって？　その通り。現代のオンライン戦争が、数十年前はSFの世界の話だったのと同じだ。

🔒 「未来の殺人容疑で逮捕する」

SF作家フィリップ・K・ディックの『マイノリティ・リポート』は、「未来犯罪」なることばを教えてくれた。将来犯罪が起きるのを防ぐために、犯罪者を犯行前に逮捕できる近未来の物語だ。

機械学習と人工知能を利用すれば、犯罪者を事前に特定し、罪を犯す前に逮捕できるかもしれない。コンピュータはデータマイニング［統計学やAIなどを用いて膨大なデータを分析し、知見を導き出すこと］を利用して殺人の動機と機会がありそうな人物を見つけ、容疑者がいつ刃物を買うなどの行動を開始しそうかを導き出す。AIはその情報を密かに警察に知らせ、警察は未来の殺人犯を捜し出して殺人が実行される前に逮捕する、という寸法だ。それが現実になるとすれば驚きであり、すばらしい気もするが、恐ろしいし、ぞっとする──そんな感情がいっぺんに押し寄せてくる。

このようなテクノロジーもいつか一般的になるだろう。実際、ビッグデータを活用していつどこで犯罪が起きるかを予測する法執行機関はすでに増えている。しかし、あらゆるAIシステムにおいて、過去のデータをもとにした「正確な」評価は、アルゴリズムを隠れ蓑にしたあからさまな人種差別にもつながる大きな問題だ。シカゴ市警察が数年をかけて試験を行った「戦略的対象者アルゴリズム」［銃犯罪の阻止を目指してシカゴ市警察が実証実験を行った犯罪抑止システム。過去の犯歴などから事件に関与する可能性が高い人物を特定しリスト化したが、現場の混乱やデータの恣意的な運用の懸念などもあり2019年に廃止されている］の例からも明らかなように、法執行機関のAIシステムがそもそも社会構造によるバイアスがかかっている過去のデータのみを根拠に、マイノリティを平均化して重犯罪者予備軍であると認定してしまう可能性はきわめて高い。

ソフトウェアの力を借りて犯罪を未然に防止するという考えは魅力的に思えるが、犯罪抑止と人権保護の正しいバランスに関して、私たちは今後も難問を抱え続けるだろう。

🔒 適者生存

この先に成功するのは、いったいどんな企業だろうか？ 変化を予測し、それに臨機応変に対応する能力をもつ企業だ。

いまはニュースを紙ではなくディスプレイで読む時代だ。新聞も本もデジタル化が進んでいる。一方で、デジタル化は林業に新たなすばらしい機会をもたらすかもしれない。いちばんわかりやすいのが、製紙業の段ボール製造へのシフトだ。新聞や印刷用紙の需要は減っているが、アマゾンなど、自宅に何でも届けてくれる通販業者の利用増加に伴い、段ボールの需要が伸びている。再利用パルプなども含め、そうした変化に適応した原料の生産構成を考えるべき時が来ている。ナノセルロースも将来有望な分野である。木材に含まれている繊維を微細化した素材で、持続型資源として期待されるセルロースナノファイバーは、半導体として利用できる可能性がある[2023年1月、ナノサイズのセルロース・ナノファイバーシートに半導体特性が発現したことを確認したと、日本の東北大学が発表している]。つまり、半導体不足と価格の高騰を救う未来のチップセットは、森から生まれるかもしれないのだ。

また、ドイツの郵便サービスは、硬直化した伝統的な組織でも変化に適応できることを示すよい例である。どの国にも国営郵便事業はあるが、それらの多くは19世紀に始まったものだ。郵便を扱う事業体のほとんどが巨大な官僚主義的組織と化し、インターネットやメール、オンラインショッピングなどがもたらす変化についていくことができなくなっている。

そうした組織とは一線を画すのがドイツポスト（Deutsche

Bundespost）だ。1995年に政府により民営化されると、ドイツポストはほぼ同時にDHLに対する出資比率を増やし、ついに同社を完全子会社化するに至った。DHLは世界最大の物流企業のひとつで、オンラインショッピングの宅配市場で大きなシェアを誇る。ほかの国の郵便事業が宅配会社との競合により苦しい戦いを強いられるなか、ドイツポストは異彩を放っている――ほかの国の郵便事業から顧客を奪う側に立っているのだ。

　将来にわたって成功し続けると思われる企業の名は、いくつも思い浮かぶ。アマゾン、グーグル、アップル、エヌビディア[米国の半導体メーカー大手。画像処理用のGPUのほか、人工知能チップ、自動運転システムの開発も手がけている]、サムスン、台湾セミコンダクター・マニュファクチャリング・カンパニー（TSMC）、シャオミ、テスラ、スペースX。これらはどれも市場の変化に対応する力があり、これからも世界の労働力の大部分を雇用していくことになるだろう。現時点ですでに、アマゾンとフォックスコンの従業員数はエストニアの人口に匹敵する。

🔒 「自由」は高価になっている

　グーグルが生活の中にあってあたりまえのものになりすぎたからか、人々は何か勘ちがいをしているようだ。私は以前自分のツイッターのフォロワーに、もしグーグル検索が有料サービスになったらいくら払うか、と質問したことがある。私個人としては、毎月25ドル、いや50ドルでも払いたいと思う。私にとってそれほどグーグルは役に立つものだからだ。ところが、フォロワーたちのコメントは意外なものだった――ほとんどの人たちがグーグル検索は無料であるべきだと強く主張していたのだ。なかには、こんな質問自体が腹立たしいと言う人もいた。税金に支えられている公共サービスと同じような感覚なのだろう

か、まるで自分たちはこのサービスを無料で使う権利があるのだと言わんばかりだった。

2017年にマサチューセッツ工科大学は、いくらもらったらインスタグラムやツイッター、フェイスブックといった無料のサービスを手放すかをユーザーに尋ねる調査を実施した。その結果、もっとも価値が高かったのはワッツアップだった。ユーザーは、ワッツアップが使えなくなるなら、平均でひと月600ドル払ってもらわなければならないと答えた。

2020年、フェイスブックはオンライン広告をすべてなくした場合、代わりに米国内のユーザーひとりにつき年間190ドルを請求しなければサービスが維持できないと算定した。別の見方をすると、広告が表示されず、トラッキングもされないフェイスブックを使いたければ、米国のユーザーは全員、毎月約16ドル払う必要があることになる。

これまで無料でサービスを利用してきたユーザーがそれに応じるとは考えにくく、だとすれば利用者のプライバシーと引き換えに広告主からお金を集める現在のやり方のほうがうんと理にかなっている。ユーザーのプロファイリングをもとに収益を上げる手法は、いまやすっかり社会に浸透している。そこから自由になるには、さらなるお金が必要なのだ。

🔒 テスラは何を変えたのか

テスラは電気自動車に革命を起こした。テスラが登場する前、電気自動車の評判は惨憺たるものだった——スピードの出ない、つまらない乗り物と揶揄されていたほどだ。テスラは、内燃機関を搭載した車を製造する競合企業のはるか先を行く車を作ろうと決めた。初期の電気自動車は間の抜けた外観をしていたが、テスラ車は見た目がいい。また、テスラ以前は、とくに寒い季節には電気自動車を田舎で走らせるのは無理、と

いうのが常識だった。テスラの最新モデルならば一度の充電で400マイル以上走行可能。これなら、どこを走っても大丈夫なはずだ。

テスラはマーケティングでも抜きん出ている。車を宇宙に送り込めば、テスラは雑誌に広告を載せる必要がない。そんなことをしなくても、雑誌は必ずその車の記事を書くにちがいないからだ。

彼らのモデルXのパフォーマンスを実証する、かなりインパクトの強いユーチューブ動画がある。モデルXは重量5000ポンド超の大型SUVだ。モデルXの電気モーターのトルク［モーターの軸を回す力、または軸の回転を止めようとする力のこと］は非常に大きく、スポーツカーのアルファロメオとのドラッグレース［停止した状態から約400メートルの直線路を猛スピードで駆け抜け、タイムを競うレース］を通じて試験が実行された。あなたの予想通り、レースに勝利したのはテスラだった。しかし、何よりの驚きは、テスラが車一台分ほどの長さに相当する差をつけたばかりか、レースで打ち負かしたのと同一モデルのアルファロメオを載せたトレーラーまで牽引していたことだ。

テスラの革新的な事業は、電気自動車の製造だけにとどまらない。その革新性は、自動車を拡張可能なプラットフォームに変えたところにある。自動車は、販売される時点ではまだ開発の初期段階にすぎないとテスラでは考えられている。そのため、販売された車がその後に収集したデータが製造元に送られ、製造元がそれに基づいてソフトウェアをアップデートし、インターネットを介して車の所有者に配布する、というシステムが採用されているのだ。

テスラが国際的に成功した初の自動車・モデルSを発表したとき、その車はすでに長期に及ぶ開発・試験期間を経ていた。数百台もの試験車両が道路や市内を走り、集まった50万マイル以上の試験データをもとに試行錯誤が繰り返されて、

発売に至った。現在、多くのモデルSが路上を走っているが、それらを通じてテスラは毎日50万マイルの試験データを集めている。

このような革新的なやり方は、自動車業界の従来型企業がおいそれとまねできるものではない——実現させるには、古い仕事の進め方に異議を唱えられる新しいチャレンジャーがいなくてはならない。

しかし、たとえそうした人材が現われたとしても、テスラのような成功を収められる自動車メーカーはほとんどなかっただろう。なぜならテスラの場合、車の所有者がこの会社の試みを高く評価していて、ソフトウェアの無線アップデートを喜んで受け入れているからだ。もしも同様のサービスが、たとえばフォードやシトロエンで導入されたとしたら、顧客はおそらくその意図を怪しむか、アップデートを拒否したのではないだろうか。所有者がいつどこに行き、どんな道をどれだけ走行したかに関するデータを集めてカリフォルニアの民間企業に送る車は、批判を招いていたにちがいない。テスラの場合、文化がユーザーと共有されているので、そんな心配はない。

さらにテスラは、そのバッテリー技術と電気モーターの特許を競合他社にも無償で公開すると決定した。これでテスラの粗を探すのはいっそう難しくなった。それどころか、もしも電気自動車のほうが先に一般に普及していたら、ガソリン駆動車は競争相手にさえなれなかったろう。電気自動車に慣れてしまった消費者が、給油するのに専用のガソリンスタンドまで出向かなければならない、可燃性の液体燃料が必要な、臭くて騒々しくて加速のいまいちな車に存在意義を見いだすのは無理というものだ。

🔓 未来ははもう始まっている

　コンピュータ・デモカルチャーは1990年代初期に産声を上げた。コンピュータ・デモカルチャーとは、コンピュータの能力を余すところなく活用し、プログラミング、グラフィック、そして音楽を組み合わせて可能な限り視覚的インパクトのあるプレゼンテーションを作成することだ。もっとも優れたデモコーダー［デモ製作者］はハードウェアの微妙な差異を熟知し、それを最大限有効に活用する。デモを作るグループには、音楽のプログラミングに注力するメンバー、デジタルアートをメインに活動するメンバーなどがいて、それぞれが得意分野を専門に担当している。

　コンプレックス、パララックス、アクセション、フューチャー・クルーなど、フィンランドは世界的な評価の高いデモグループを数多く輩出している。なかでもフューチャー・クルーは、1993年にアセンブリー［フィンランドで開催されるデモ作品を披露するイベント］で発表された有名なデモのひとつ、「セカンド・リアリティ」を製作したグループだ。これは実に革新的な作品で、スラッシュドット（Slashdot）［米国で人気のある参加型ニュースサイト］の「史上最高の10のハック」のひとつに選ばれ、爆発事故によりミッション中止を余儀なくされながらも数々の危機的状況を克服して乗員全員が無事に帰還したアポロ13号、アップルⅡの開発、第二次世界大戦中にナチスが使っていた暗号機エニグマによって生成された暗号の解読などの偉業と肩を並べてリストアップされている。

　フューチャー・クルーのメンバーのその後を知れば、テクノロジーのスキルがどれほど人生の可能性を拡げることができるかがよくわかる。メンバーはそれぞれ世界各地で重要な立場に就くまでになった。たとえば、シューティング・ゲームの「マックス・ペイン（Max Payne）」で知られるゲーム企業、レメディ

ー・エンターテインメント（「ビジュエルド（Bejeweled）」[8×8のマスに敷き詰められた7種類の宝石を消していくパズルゲーム]で知られる）の設立にかかわったほか、ポップキャップ・ゲームズ、アドバンスト・マイクロ・デバイシズ[米国の半導体製造会社]、ユニティ・テクノロジーズ[米国に本社を置く、ゲームエンジン開発などを手がける企業]などの企業で活躍している。グラフィックの達人である通称「Trug」と「Psi」は、幾度かの合併を通じて、クアルコム[米国のモバイル通信技術関連企業]のモバイル・グラフィック・チップセット用テクノロジーの設計に携わることになった。10億人を超える人々が、彼らが設計したモバイル・チップを搭載したデバイスを持ち歩いている。

　デモグループのコンプレックスとファルコンのメンバー、ヤンネ・コンツカネンが2014年にアカデミー科学技術賞を受賞したことも大きな話題となった。コンツカネンは数年間、ドリームワークスでアニメーション制作に携わっていた。

　手練れたちが集ったデモシーンは、高度なテクノロジーとカルチャーを創出する膨大な機会を生み出した。それがいまの世界を形作っているのだ。つまり、この先のトレンドも、おそらくもう始まっている——私たちがまだ気づいていないだけだ。

　私にとって、宇宙開発競争の再開はとくに心躍るテクノロジーのトレンドと言っていい。人類は1972年を最後に月に降り立っていないが、テクノロジーがまもなく私たちを月に、小惑星帯に、いつか火星にだって連れて行くことができる。

　オンライン配信されたスペースXのロケット打ち上げの動画を見ていたとき、意外なものが目に入った。数千万ドルかけて作られたはずのロケットの塗装はくすんで、傷がついていたのだ。それらに隠れて「SpaceX」のロゴはほとんど見えなかった。

　しばらくしてその理由がわかった。スペースXのロケットは以前にも、もう少し正確に言えば数回、宇宙に行っているという

ことなのだ。つまり、再利用されているわけだ。ほかの企業は、ピカピカの新しいロケットでも一度打ち上げたあとはスクラップにしてしまう。

　使ったロケットを再塗装しないことで、賢くもスペースXは保守的な競合企業にはないその先進性という強みを際立たせていた。一度打ち上げただけでロケットをスクラップにするのは、初めての飛行を終えたジャンボジェット機を廃棄するようなもの。まったくもってナンセンスな話だ。

　スペースXのマーケティング責任者が誰かは知らないが、この見せ方を思いついたことは賞賛に値する功績だと思う。そして、あなたがどう思うかにかかわらず、イーロン・マスクは科学者としても、実業家としても歴史に名を残した。マスクは彼にしかできないやり方で、地球に住み続けることが不可能になった場合に備えて、人類の未来を安全なものにする数十年単位のプロジェクトに取り組んでいるのだ。

　NASAは次の月面着陸ミッションにスペースXのスターシップを選んだ。2025年、人類はふたたび月に還るのだろう。

　1987年に初めてインターネットに接続したとき、私はコモドール64を利用したあるプロジェクトに使えるコード・スニペット［特定の機能を実装した短いコードのまとまりのことで、切り貼りしてさまざまなプログラムに挿入し、簡単に再利用できるため、開発効率を向上させることができる］を探した。ゲームシリーズ「Paha Juttu」（フィンランド語で「悪いもの」を意味する）のコードをともに作成した私の兄弟が、大学のインターネット接続を使わせてくれたのだ。私はいまでも自分の初代コモドールをもっているし、私たちが作ったゲームは2018年からフィンランド、タンペレにあるフィンランドゲーム博物館の永久展示に加えられている。私はこのことをとても誇りに思っている。

　私はいまボランティアで、「インターネットアーカイブ」［世界中のさまざまなデジタル情報をアーカイブしている米国の非営利法人。1996年にブリュースター・ケールにより設立された］のマルウェア博物館でキュレーターを務めている。このアーカイブには、ウェブサイト、テレビ番組、書籍、ソフトウェアなど、さまざまな資料がデジタル形式で後世のために保存されている。私たちはおそらく人類史上において重要な時代の変わり目を生きている。そんないまの生活がどのようなものかを記録するのは、私たちにしかできないことなのだ。

　1980年代には、まだほとんど誰もインターネットを知らなかった。いまやインターネット接続は珍しくはないし、ことさら注目すべきものでもない。それどころか、近い将来、インターネットは私たちの視界から消えてなくなるだろう。高速無線インターネットが世界中で提供されるようになれば、いつでもどこでもあらゆるデバイスがオンライン常時接続の状態になる。そのとき、インターネットはその存在を意識されることさえない、

完全にあってあたりまえのものになるのだ。その反面、私たち
のインターネットへの依存度はいっそう高まることになるのだろ
う。

　この数十年における情報技術の発達を振り返って考えれば、
私たちがこれからどこに向かうのかも手に取るようにわかる。
いつかきっと、私たちの誰もが無限に近い能力をもつコンピュー
ータをほぼ無料で手に入れられるようになるにちがいない。演
算能力、記憶容量、保存容量、帯域幅のいずれにも制限が
なく、ほとんどお金すらかからない、想像し得るかぎりのすべ
てを可能にしてくれるクラウドサービスがあったらどうする?
そこに何の制限もないとしたら、あなたはどうするだろうか?

　これまで人間が手にしたもののなかでインターネットは最高
であり最悪のものだが、それは害悪よりも利益をもたらしたと、
ほんとうに言えるだろうか?

　私は、そう言ってもかまわないと思う。人生の大半をインタ
ーネットの負の側面を扱う仕事に注いできたにもかかわらず、
私自身は楽観的なのだ。以前、ノルウェーの極地探検家と話
をしたことがあるのだが、彼は気候変動が環境にもたらす影
響を身をもって実感してきたという。だがそれでも、未来につ
いては楽観主義であるとも語った。それを聞いて私が驚くと、
彼は「いまさら悲観したところでどうしようもないんだから」と
述べた。

　インターネットのゆくすえに対して、私は彼と同じように感じ
ている。つまり、悲観的な見方をする時期はもう過ぎ去った
のだ。インターネットはわくわくするような、魅力的で目新しい
テクノロジーから、日常的なありふれたものになった。ある統
計によれば、人間関係の40%はオンラインでのやりとりがきっ
かけで始まるのだそうだ。

私はインターネットを愛してやまない。インターネットに起こる次なる革命を、この目で見られる日が待ち遠しいと思っている。

あとがき

　著者のミッコ・ヒッポネンは1991年の入社以来、ウィズセキュア（旧エフセキュア）社で数千ものウイルスの分析に携わってきた、情報セキュリティの世界的権威とも称される人物だ。オックスフォード大学やケンブリッジ大学での講義のほか、TEDトークにもしばしば登壇している。ウィズセキュアは欧州でも有数のサイバーセキュリティ・サービスの会社で、シャープ、富士通といった日本企業とも提携する、フィンランドのグローバル企業である。

　ヒッポネンが30年にわたるキャリアを通じて得た豊富な経験や興味深いエピソードを織り交ぜながら、「最高で最悪なインターネット」が世界をどう変えてきたかをふり返り、テクノロジーがこの先の世界をどう変えていくかを論じたのが、本書『「インターネットの敵」とは誰か？　サイバー犯罪の40年史と倫理なきウェブの未来』である。多くの人がイメージとしては認識しているものの、具体的な内容を知る機会のないマルウェアやサイバー攻撃と、それに対抗する策の進化の歴史が余すところなく紹介されているのが本書前半の読みどころのひとつであり、その経験をもとにインターネットのこれからを考えるのが後半の読みどころである。

　原書（『If It's Smart, It's Vulnerable』）が発表されたのは、ロシアによるウクライナへの侵攻が開始された2022年2月だ。それ以前からロシアは、本書でもとりあげている電力会社プリカルパッチャブオブレネルホ社のケースをはじめとしてウクライナに執拗なサイバー攻撃を仕掛けていたが、2022年1月ごろからそれがいっそう激化した。物理的な開戦よりも先に、サイバー空間で戦争が始まっていたと言っていい。

　武力攻撃の開始後も、ウクライナ軍への武器や燃料、食料等の物資補給路を縮小させ、国民や軍隊の士気を低下さ

せるねらいがあると思われるサイバー攻撃は後を絶たない。2022年3月には、ウクライナのゼレンスキー大統領とされる人物が国民に降伏を呼びかける動画が拡散されて騒ぎになった。それは人工知能（AI）を応用した「ディープフェイク」によって生成された偽動画で、こうした情報技術が戦時の武器になる可能性が改めて浮き彫りになった。「将来、ふたつの国が互いに宣戦を布告し、サイバー空間だけで戦う純粋なサイバー戦争が起きるとは考えられない。紛争が激化すれば、サイバーを含むすべての前線で戦争が起きる」というヒッポネンの指摘が、まさに現実のものになっているのだ。

　ロシアの継続的な攻撃を受けて通信ネットワークが破壊されるなか、ウクライナ政府の要請に応じ、イーロン・マスクはCEOを務めるスペースX社の通信衛星サービス、スターリンクの無償提供を開始した。

　イーロン・マスクといえば、宇宙開発や電気自動車の分野で革新的な事業を展開して実績をあげ、毀誉褒貶はありつつ時代の革命児と呼ばれた人物だ。だが、2022年のツイッター買収騒動以降、マスクに対する人々の評価は大きく変わったように思える。買収後取締役全員を解任して自らCEOの座に就くと、マスクは大規模なリストラを敢行し、自分に批判的なメディアやジャーナリストのアカウントを凍結したり、自分のツイートが最優先に表示されるようなアルゴリズム変更を命じたりと、本人の謳う「自由なツイッター」とはほど遠いことを次々に行っており、自己の承認欲求や利益を追求しているのみではないかという批判を浴びている。かつて既存の秩序を破壊してイノベーションを起こす革命家とまでもてはやされたマスクのインターネットにおけるイメージは、自己利益のみを優先する資本家、あるいは保守的で専制的な暴君へと変わってしまった。本書の原書を執筆していた時点では、ヒッポネンにもここまでの展開は予想できなかっただろう。

さて、いまや世の中の関心は、ブロックチェーン技術により構成される分散型インターネット・Web3から、「生成AI」にすっかり移ってしまっている。米国のベンチャー企業データベースであるクランチベースのデータによると、Web3スタートアップへのベンチャーキャピタル資金調達は、2022年第1四半期の91億ドルから2023年第1四半期の17億ドルに減少し、年率で82%減少したという。これもまた本書執筆時点では予想だにし得なかったであろう移り変わりの速さであり、その証拠に2022年初頭まで執筆されていたと思われる本書内では、まだ生成AIについてほとんど言及されていない。

　にわかに盛り上がりを見せ、AI開発の潮流に変化をもたらしている生成AIとは、ゼロから（に見えるだけで、実際はインターネット上の情報をビッグデータとして活用している）コンテンツやアイデアを作り出す次世代のAIだ。代表的な生成AIである「ChatGPT（チャットGPT）」は、公開から二か月で月間ユーザー数が1億人を突破し、『タイム』誌の表紙を飾った。

　一方で、生成AIにはリスクも懸念されている。たとえば教育分野では、学生がAIに論文やレポートを書かせる、といったことができる。しかも、完璧すぎる仕上がりにならないよう、「適度なミスが含まれるように書いて」というリクエストにも、（当然と言えば当然だが）AIは応えられてしまうのだ。

　サイバーセキュリティの分野でも、生成AIが悪意ある攻撃者に利用されるおそれがあるとして、多くの専門家が警鐘を鳴らしている。チャットGPTは違法性のある命令に応えない仕様になっているが、アンダーグラウンドのフォーラムでは、どうすれば悪意あるプログラムを書かせることができるか、ハッカーたちが議論しているという。そればかりか、チャットGPTを使えば、プログラミングなどのスキルをもたない者が気軽にサイバー犯罪に手を出すようにもなりかねない。ヒッポネンが本

書でAIの未来について指摘しているように、犯罪に対する「障壁はますます低く」なるだろう。

その開発や使用を規制しようとする動きも出はじめているが、先行きはまだ不透明だ。2023年5月16日にはチャットGPTの開発者であるオープンAI社のサム・アルトマンCEOが米国上院議会司法委員会に召喚され、「AIにゆるやかな規制は必要」と発言したが、これは倫理面の懸念から自ら襟を正したと見せかけて「すでに先行者利益を得ているものが後発の芽を摘みたいだけである」との批判も出るなど、額面通りには受け取れないものがある。それに、いくら禁じられたところで、人間はどうにかして抜け道を探すだろう。AIはますます身近なものになっている。ヒッポネンが言うように、「何かが発明されたら、もうそれが存在する前の時代には戻れない」のだから、どうすれば適切に使用することができるかを考えなければならない。

インターネットはその本質が自律と分散にあり、自由をもたらす技術だったはずだ。それが、企業がサービスの代償として個人情報を収集し、それをもとに行動データを抽出し、人々の行動パターンを予測して利益をあげる監視資本主義によって、大きな力をもつひと握りの人々が私たちをコントロールする、自由とはかけ離れたものになった。私たちは深く考えることなく、無料でサービスを受ける代わりにせっせと自分のデータを差し出している。ヒッポネンはそうしたサービスの有用性を高く評価しながらも、プライバシーを売り物にするようなビジネスモデルに対しては無条件に賛成していない。そこにはインターネットがかつて謳歌していた自由をどうにかして守りたいというヒッポネンの意思が感じられる。

では、「インターネットの敵」とは果たして誰なのか？　ヒッポネンにとっての敵とは、愛してやまないインターネットの自由を脅かすものだ。マルウェアを次々に生み出して攻撃を仕掛け

てくる犯罪者はもちろんのこと、データを独占し、ウェブ空間の資本化にしのぎを削る巨大テクノロジー企業、そしてスマート化や効率化を名目に管理や規制を強化する公権力もそこには含まれ得る。本書の段階ではまだ希望をもって扱っていたイーロン・マスクのような人も、いまやもしかするとヒッポネンには敵となり得るひとりに映っているかもしれない。

　「未来の世代にどんなインターネットが遺っていくかは、私たちしだいだ」とヒッポネンは書いている。世界を不可逆に変え、今後も変え続けていくであろうテクノロジーをよきものとして使いこなすことができるのか、それとも資本や権力の暴力を加速させるものにしてしまうのかは、私たちの向き合い方しだいなのだ。

　末筆ながら、多大なご協力をいただきました翻訳会社リベルのみなさんと、編集者の安東嵩史さんにお礼を申し上げます。

2022年6月　安藤貴子

訳者あとがき

[著者] ミッコ・ヒッポネン

フィンランド出身。サイバーセキュリティ研究者、講演者、文筆家。1991年のData Fellows（現F-Secure）入社以降、サイバー犯罪対策の第一人者として世界的に活動している。現在、WithSecureの主席研究員とF-Secureのプリンシパル・リサーチ・アドバイザーを兼任するほか、国際カンファレンスやTEDトークなどの講演も活発に行っている。

[訳者] 安藤貴子（あんどう・たかこ）

英語翻訳者。訳書に『セックスロボットと人造肉 テクノロジーは性、食、性、死を"征服"できるか』（小社刊）、『シリコンバレー式 心と体が整う最強のファスティング』（CCCメディアハウス）、『ロケット科学者の思考法』(サンマーク出版)、『無人戦の世紀』(共訳、原書房)、『約束してくれないか、父さん』(共訳、早川書房)など。

「インターネットの敵」とは誰か？
サイバー犯罪の40年史と倫理なきウェブの未来

2023年6月24日　第一刷発行

著者　　　ミッコ・ヒッポネン
訳者　　　安藤貴子

発行人　　島野浩二
発行所　　株式会社双葉社
　　　　　東京都新宿区東五軒町3-28

　　　　　03-5261-4818（営業）
　　　　　03-6388-9819（編集）
　　　　　http://www.futabasha.co.jp
　　　　　（双葉社の書籍・コミックが買えます）

印刷・製本　中央精版印刷株式会社
編集　　　安東嵩史
装丁　　　金田遼平（YES）
翻訳協力　株式会社リベル

ISBN 978-4-575-31803-6　C0098
Printed in Japan